Clássicos Juvenis TRÊS POR TR3S

TRÊS TERRORES

TRÊS TERRORES

DRÁCULA
Bram Stoker

O MÉDICO E O MONSTRO
Robert Louis Stevenson

O MORTO-VIVO DA COLINA VERDE
Leo Cunha

COORDENAÇÃO MARCIA KUPSTAS

ILUSTRAÇÕES CEZAR LANDUCCI

Atual Editora

1ª edição

Conforme a nova ortografia

Coleção Três por Três
Gerente editorial
Rogério Gastaldo
Assistentes editoriais
Jacqueline F. de Barros / Kandy Sgarbi Saraiva
Revisão de texto
Pedro Cunha Jr. e Lilian Semenichin (coords.)
Cid Ferreira / Alexandra Costa / Ana Carolina Nitto
Pesquisa iconográfica
Cristina Akisino (coord.)
Gerente de arte
Nair de Medeiros Barbosa
Assistente de produção
Grace Alves
Diagramação
Edsel Moreira Guimarães
Coordenação eletrônica
Silvia Regina E. Almeida

Colaboradores
Projeto gráfico
Estúdio Graal
Ilustrações
Cesar Landucci
Coordenação
Marcia Kupstas
Suplemento de leitura e projeto de trabalho interdisciplinar
Isabel Cabral
Preparação de textos
Edilene Martins dos Santos / Jacqueline F. de Barros
Impressão e acabamento
Forma Certa Gráfica Digital

Dados Internacionais de Catalogação na Publicação (CIP)
(Câmara Brasileira do Livro, SP, Brasil)

Cunha, Leo
Três terrores / [adaptação] Leo Cunha; ilustrações Cesar Landucci — 1. ed. — São Paulo : Atual, 2007. — (Coleção três por três : clássicos juvenis / coordenação Marcia Kupstas)

Conteúdo : Drácula / Bram Stoker — O médico e o monstro / Robert Louis Stevenson — O morto-vivo da Colina Verde / Leo Cunha.

Acompanha suplemento de leitura e projeto de trabalho interdisciplinar.

ISBN 978-85-357-0771-7

1. Literatura infantojuvenil I. Stoker, Bram, 1847-1912. II. Stevenson, Robert Louis, 1850-1894. III. Cunha, Leo. IV. Landucci, Cesar. V. Kupstas, Marcia. VI. Série.

07-4147 CDD-028-5

Índices para catálogo sistemático:
1. Literatura infantojuvenil 028.5
2. Literatura juvenil 028.5

19ª tiragem, 2023

SARAIVA Educação Ltda.
Av. das Nações Unidas, 7.221 - 2º andar - Pinheiros
CEP 05425-902 – São Paulo – SP

0800-0117875
De 2ª a 6ª, das 8h30 às 19h30
www.editorasaraiva.com.br/contato

812594.001.014

SUMÁRIO

Prefácio

O MÉDICO E O MONSTRO 55

O MORTO-VIVO DA COLINA VERDE 91

TRÊS TERRORES CLÁSSICOS

Três autores, três épocas, três lugares... e um tema central, reunindo três diferentes narrativas. Quantas semelhanças pode haver entre essas histórias, quantas são suas particularidades...

Certos assuntos ou personagens que inspiram medo são tão antigos quanto o próprio homem. Sem dúvida, tememos a morte; mas tememos ainda mais a imortalidade sobrenatural. Vangloriamo-nos da nossa razão e do nosso conhecimento, mas reconhecemos nossos instintos maldosos e desconfiamos daqueles que deliberadamente transcendem o bem e o mal, usando os recursos da magia ou da ciência.

Dois clássicos literários que retratam esses assuntos estão aqui reunidos – *Drácula*, de Bram Stoker, e *O médico e o monstro*, de Robert Louis Stevenson, associados a *O morto-vivo da colina verde*, de Leo Cunha.[1] Esses "monstros" literários nos apavoram e fascinam pela sua trágica possibilidade de escapar do destino comum dos homens. Em *Três terrores*, um deles é um vampiro milenar, que sobrevive de sangue humano; o outro é um homem comum, mas que usa de um artifício para liberar seu "lado negro"; na última história, um aparentemente pacato morador de uma cidadezinha renasce durante o próprio velório. O vampiro, o louco demoníaco, o morto-vivo... e mais: a bruxa, o caçador de vampiros, o cientista maluco, todos esses personagens se reúnem, de um modo ou de outro, nessas três histórias, compondo um curioso painel dos personagens de terror e mistério que assombram a mente humana há tantos séculos.

Como escreveu Stephen King, autor contemporâneo do gênero terror, "se *Drácula* nos deixa com a impressão de termos sido esmagados por um muro de terror de quatrocentas páginas, *O médico e o monstro* é como o golpe súbito e mortal de um furador de gelo". Mais do que causar

---

[1] Em razão do formato da coleção, não foi possível juntá-los à criatura do dr. Frankenstein, da obra de Mary Shelley, considerado por muitos o precursor da ficção científica (o livro *Frankenstein* foi escrito em 1816, quando a autora contava 19 anos).

arrepios, os personagens dessas obras eternizaram-se como símbolos clássicos das figuras aterrorizantes no imaginário popular universal.

É claro que a figura do vampiro já existia antes de o produtor teatral irlandês Bram Stoker escrever *Drácula*, em 1897. O mito do ser humano que transcende a morte bebendo o sangue de outros humanos permeia culturas tão díspares como a chinesa, a suméria ou as do norte da Europa. Mas a popularidade do livro, da peça teatral e do filme deu o contorno definitivo a esse ser na pele — pálida, é claro — do conde Drácula, da Transilvânia.

Do mesmo modo, a ideia do bem opondo-se ao mal é frequente em diversas religiões e doutrinas; o que Stevenson fez foi levar essa dicotomia ao mais absoluto extremo. Dr. Jekyll é o homem bom e pacífico que, ao tomar uma poção descoberta por ele, libera todos os seus instintos de degeneração e crueldade. Poção misteriosa também está na razão da ressurreição de Zequinha, de *O morto-vivo da colina verde*. Em um registro juvenil e bem-humorado, Leo Cunha rastreia as peripécias do narrador, que se junta a seus amigos para desvendar esse mistério.

Entretanto, a coleção **Três por Três** pretende não só aproximar essas narrativas pelo tema central, mas permitir que o leitor identifique suas diferenças. E, nesse ponto, época e lugar também revelam sua importância... Leo Cunha é brasileiro do século XXI, fruto da popularização das recriações desses mitos no cinema, na TV e na literatura de tantos autores. Sua narrativa mantém-se em dois patamares: ora registra com seriedade a possibilidade da existência de uma "poção antimorte", ora apresenta seus personagens adolescentes como um grupo de caça-fantasmas de sessão-pipoca na TV. O resultado é uma recriação que permite um diálogo enriquecedor a respeito desses mitos e personagens que assombram nossa imaginação.

A proposta inovadora da coleção **Três por Três** consiste na adaptação modernizada de textos antigos, de autores significativos da literatura universal, que dialogam com uma história de um escritor brasileiro, também autor das adaptações. E tem como desafio maior seduzir o jovem leitor para que conheça o que já foi feito em outras épocas sobre temas que, mesmo em nossos dias, continuam relevantes e desafiadores.

Boa leitura!

Marcia Kupstas

DRÁCULA

Bram Stoker

Adaptação de Leo Cunha

BRAM STOKER.

Irlandês, Abraham (Bram) Stoker nasceu em Dublin, em 1847, e faleceu em Londres, em 1912. Teve várias profissões: servidor público, crítico e produtor teatral, jornalista e editor de jornal. No tempo em que morou na Irlanda, trabalhou, tal como seu pai, no Castelo de Dublin. Estudioso de Filosofia e História, formou-se na Universidade de Dublin, onde também fez o mestrado.

Mas não foi na carreira acadêmica que se consagrou, nem mesmo nas posteriores, de administrador e autor teatral. Seu nome se imortalizou como o autor de Drácula, *um dos livros mais assustadores e inspiradores do gênero terror.*

Em 1871, Stoker publicava pequenas críticas não remuneradas no jornal Dublin Evening Mail *quando conheceu o ator Henry Irving, que excursionava numa companhia itinerante. Essa amizade cresceu, tornou-se forte e perdurou por mais de trinta anos, até a morte do ator, em 1905.*

Em 1878, Irving convidou Stoker para assumir a direção do Royal Lyceum Teather, em Londres. Bram aceitou e mudou-se para lá com a esposa, Florence Balcombe. No ano seguinte, nasceu seu único filho, Noel.

Dividia suas atividades de produção e crítica teatral com a literatura, tendo escrito e editado contos em jornais e revistas londrinas. Em 1890, começou uma história sobre um vampiro, inspirado pela leitura de Carmilla, *de Sheridan Le Fanu, e por um pesadelo. Esse foi o embrião de* Drácula, *publicado em 1897.*

Na época da edição, nada indicava que aquela "boa história" de terror alcançaria a celebridade posterior. Houve uma versão teatral, encenada por atores do Lyceum, mas sem grande repercussão. Outras obras de Stoker, como Os sete dedos da morte *(1903),* O caixão da mulher-vampiro *(1909) ou* O monstro branco *(1911), também não se destacaram.*

Ao morrer, Stoker não era um homem rico. Sua viúva vivia dos poucos direitos autorais da sua obra e, em 1921, quando o diretor alemão Murnau filmou Nosferatu, *baseado no livro de Stoker, Florence o processou e ganhou a causa. Em 1924, o dramaturgo Hamilton Deane conseguiu a permissão de Florence para adaptar o romance para o teatro, com grande sucesso. Bela Lugosi representava o conde Drácula, e depois também lhe deu vida no cinema. Em 1931, o filme* Drácula *imortalizou o personagem e o livro de Stoker se tornou um clássico, popularizado em todo o planeta.*

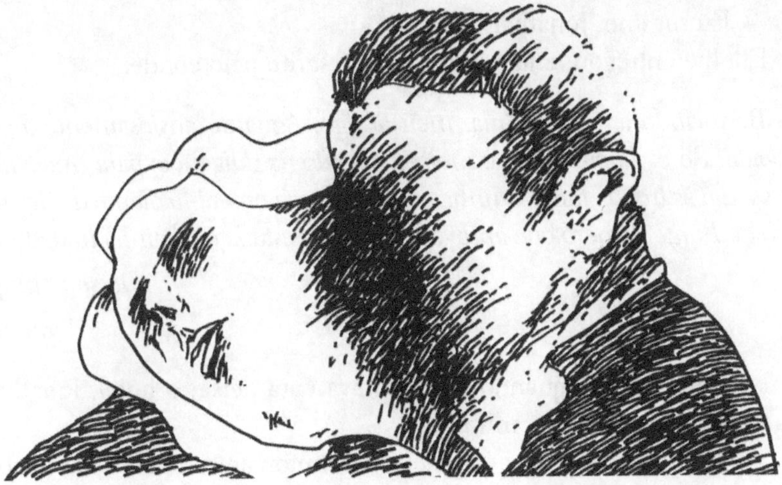

1
NAS CURVAS DA TRANSILVÂNIA

O JOVEM ADVOGADO JONATHAN Harker acordou ansioso, com medo de perder o trem. Que noite atormentada! Além dos estranhos pesadelos, o latido insistente dos cães, do lado de fora do hotel. Tomou o café com pressa, mas, quando chegou à estação, viu que o trem, mais uma vez, estava atrasado. Era muito curioso: quanto mais ele avançava para o oriente, mais impontuais eram os trens. Ainda bem que não estava indo à China, ou não chegaria nunca à sua reunião de negócios com o tal conde Drácula.

À medida que se aproximava dos montes Cárpatos, Jonathan se sentia adentrando um novo mundo, com paisagens exóticas e um povo rústico, misterioso, cheio de superstições. Quando chegasse ao castelo, não poderia se esquecer de perguntar ao conde sobre aquelas crendices.

Pelo que pesquisara nas bibliotecas de Londres, a região era uma das mais primitivas da Europa. Não encontrou nenhuma referência específica sobre o castelo de Drácula, mas viu que a cidade de Bistritz, sua última escala, era uma das mais conhecidas da Transilvânia.

Chegou à cidade ao anoitecer, a tempo de ver, ao longe, o imponente desfiladeiro de Borgo. "Que paisagem impressionante", pensou. E desejou voltar ali um dia, ao lado de sua noiva, Mina. Foi recebido à porta do Hotel Coroa Dourada por uma típica camponesa, de avental colorido muito justo e um grande sorriso no rosto:

— Você é o cavalheiro inglês?

— Eu mesmo, Jonathan Harker.

Ela lhe entregou, então, um bilhete escrito pelo conde:

Bem-vindo à Transilvânia, meu amigo. Aguardo ansiosamente a sua chegada. Reservei para você o melhor assento na diligência para Bucovina, que sai daí às três da tarde. Minha carruagem vai esperá-lo diante do desfiladeiro de Borgo. Espero que aproveite bem sua estada em minha linda terra.

Do seu amigo,

Drácula.

No dia seguinte, quando se preparava para deixar o hotel, Jonathan quis saber mais sobre seu anfitrião.

— Vocês conhecem o castelo? — perguntou ao casal dono do estabelecimento.

Os dois desconversaram, parecendo não entender a pergunta. O inglês achou aquilo muito estranho, pois na noite anterior tinham compreendido perfeitamente o seu sotaque.

— Já se encontraram com o conde alguma vez? — insistiu o rapaz.

— Eu não sei de nada — retrucou o dono, fazendo o sinal da cruz. — Vamos mudar de assunto.

Sua esposa chegou bem perto de Jonathan e falou em voz baixa e muito nervosa:

— O senhor precisa mesmo ir? Não pode evitar?

— Não. Trata-se de uma reunião urgente de negócios.

— Mas o senhor sabe que dia é hoje? — ela perguntou, tremendo, com os olhos arregalados. — É véspera do Dia de São Jorge. Quando bater meia-noite, todas as criaturas do mal estarão à solta! O senhor não imagina o que lhe espera!

E, ajoelhando-se, implorou que Jonathan não seguisse viagem.

— Agradeço muito a sua consideração, minha senhora, mas...

A hoteleira tirou o rosário do pescoço, beijou o crucifixo e entregou-lhe com lágrimas nos olhos.

— Aceite, nem que seja pela sua mãe — ela pediu, percebendo o desconforto de Jonathan, que não era católico.

Incomodado pelos temores da velhinha, pelo rosário e pelas crenças fantasmagóricas daquele lugar, Jonathan deu um longo suspiro. A carruagem para Bucovina acabava de chegar.

Enquanto tomava seu lugar, notou que o cocheiro conversava com a dona do hotel. Era óbvio que falavam sobre ele, pois de vez em quando o olhavam disfarçadamente e balançavam a cabeça, horrorizados. Como tinha estudado um pouco da língua local, conseguiu reconhecer algumas palavras: *ordog* (satanás), *pokol* (inferno), *stregoica* (feiticeiro), *vrolok* (vampiro). Quando o cocheiro estalou o chicote e os cavalos partiram, muita gente já se amontoava à frente do hotel e quase todos olhavam para o inglês com cara de pena.

O passageiro ao lado, ao descobrir o destino de Jonathan, tirou do bolso um pequeno objeto:

— É para mau-olhado — explicou num inglês com forte sotaque.

Porém, os temores de Jonathan foram se dissipando à medida que observava a linda paisagem ao redor. De um lado, os cumes imponentes dos Cárpatos, do outro uma profusão de matas, florestas, frutos e flores, de todas as cores. A estrada era muito acidentada e íngreme, mas o cocheiro parecia voar sobre ela, como se quisesse alcançar o desfiladeiro o mais rápido possível. Nem mesmo quando o sol começou a baixar no horizonte e as sombras se alongaram no chão, a carruagem diminuiu o ritmo.

Com medo de um acidente, Jonathan perguntou se não poderia desembarcar e terminar a pé o trajeto.

— Nada disso — respondeu o cocheiro. — Esta região é cheia de cães ferozes. Além do mais, não sabe o que o espera lá em cima...

Os outros passageiros não riram da brincadeira. Pelo contrário, fizeram um silêncio respeitoso, como se soubessem que algo de incomum estava para ocorrer. Mas ninguém explicou nada a Jonathan: um por um, ofereceram-lhe presentes, acompanhados de bênçãos, olhares piedosos e o repetido sinal da cruz.

A noite trouxe um frio cortante e, na escuridão, as árvores pareciam se fechar sobre a estrada, como numa emboscada. A única luz visível era a da própria carruagem, fazendo brilhar o suor dos cavalos, totalmente fatigados com a velocidade da viagem. De repente, após uma curva, surgiu o desfiladeiro. Trovões ressoaram e todos se encolheram. Jonathan olhou ao redor, mas não havia sinal da condução que o levaria ao castelo.

— Chegamos uma hora adiantados — anunciou o cocheiro, para alívio dos passageiros. Em seguida, virou-se para Jonathan: — Como o senhor vê, não há ninguém aqui a sua espera. É melhor vir comigo e voltar outro dia, porque...

Foi interrompido pelo barulho dos cavalos, que começaram a empinar e relinchar feito loucos. No mesmo instante, uma carruagem parou ao lado da diligência. Era puxada por quatro cavalos esplêndidos e guiada por um homem alto e barbudo, com um grande chapéu negro que escondia seu rosto.

— Chegou cedo — comentou, mirando o cocheiro com olhos brilhantes, que pareciam vermelhos sob a luz dos lampiões.

O cocheiro olhou para o chão e mentiu.

— O passageiro inglês estava com pressa.

— Não pense que me engana, amigo. Sei de tudo e tenho cavalos mais rápidos que os seus — o guia sorriu malicioso, exibindo lábios vermelhos e dentes muito brancos e afiados.

— É que a morte viaja depressa... — sussurrou um dos passageiros, benzendo-se.

Jonathan embarcou, e o guia, com uma força impressionante, pegou sua pesada bagagem com uma só mão e a depositou no alto da carruagem. Depois, sem olhar para trás, sacudiu as rédeas e os cavalos negros dispararam pela estrada escura, margeando o desfiladeiro.

— A noite está fria — comentou o guia, jogando uma coberta sobre as pernas do inglês. — Meu patrão quer que o senhor seja muito bem tratado.

Jonathan estava cada vez mais apreensivo. Sua vontade era saltar e voltar correndo para a cidade. O medo aumentou ainda mais quando ele percebeu que a carruagem andava em círculos e parecia passar várias vezes no mesmo local. Resolveu riscar um fósforo para conferir as horas: faltavam poucos minutos para a meia-noite, a hora favorita de todas as maldições.

Ao longe, um cachorro começou a uivar; em seguida outro e mais outro. Depois foram os lobos. Em pouco tempo, ganidos longos e agoniados ecoavam por todo o desfiladeiro. Perturbados com o barulho, os cavalos começaram a dar coices e pinotes, quase derrubando a carroça. O guia precisou usar todo o seu vigor para manter-se na estrada, mas, curiosamente, seu rosto se manteve impassível o tempo todo.

De repente, o carro parou e o guia, sem dizer uma palavra, desceu e desapareceu por uma estradinha ainda mais estreita e íngreme. No mesmo instante, a luz da lua atravessou as nuvens e Jonathan percebeu que a carruagem estava rodeada de lobos selvagens, com olhares ferozes e línguas muito vermelhas pendendo das bocas. Todos começaram a uivar ao mesmo tempo, olhando para a lua, e assim permaneceram por longos minutos. Sozinho a bordo, Jonathan deu um grito apavorado, tentando chamar o guia de volta.

Quando a lua se escondeu novamente, os lobos pararam de uivar e se afastaram. Jonathan notou uma sombra se aproximando em sua direção e viu, aliviado, que o guia enfim voltava. Os chicotes estalaram e a subida recomeçou, a toda a velocidade. Afundado em seu assento, o inglês mal conseguia respirar e quase morreu de susto quando levantou os olhos e descobriu, a poucos metros de distância, a silhueta impressionante de um castelo em ruínas, totalmente às escuras.

2
ENCONTRANDO O CONDE

"COMO É QUE NÃO vi este enorme castelo se aproximando?", Jonathan se perguntou, ao saltar. "Será que cochilei?"

O guia deixou as malas diante da entrada principal do castelo, uma porta de metal, bem no meio do paredão de pedra maciça. Em seguida deu meia-volta, subiu de novo na carruagem e sumiu em meio à escuridão, deixando o visitante atônito, diante da porta, sem saber o que fazer. Não havia nenhum sino ou aldrava para bater, anunciando sua chegada e, por mais alto que gritasse, sua voz não atravessaria as sombrias paredes.

Os minutos se passaram e os temores assaltaram sua alma. Que espécie de lugar era aquele? Em que aventura perigosa ele tinha se metido? A princípio a viagem parecera uma tarefa trivial: apresentar uma casa londrina ao nobre estrangeiro que acabava de comprá-la. Para um advogado recém-formado, como ele, a viagem era até um privilégio. Mas, agora que estava ali, na escuridão gelada dos Cárpatos, tudo mudava de figura.

Quando já ia perdendo as esperanças, ouviu passos pesados do outro lado da porta. Em seguida, uma chave girou com um forte rangido, indicando que havia muito aquela fechadura não era usada. A porta se abriu e Jonathan deparou com um velho alto e muito pálido, vestido de preto da cabeça aos pés. Sua mão esquerda segurava um lampião de prata, cujas chamas bruxuleavam ao vento, formando sombras fantasmagóricas nas paredes. Com a outra mão, fez sinal para o visitante entrar e disse em inglês perfeito, apesar do forte sotaque:

— Seja bem-vindo à minha casa. Queira entrar, por livre e espontânea vontade.

Ao cumprimentá-lo, Jonathan sentiu que sua pele era gelada como a de um cadáver. Seu aperto de mão era tão forte quanto o do guia; mas, ao contrário do outro, o velho não tinha barba, apenas um longo bigode branco.

— O senhor é o conde Drácula?

— Sim, é um prazer recebê-lo em minha casa — respondeu com uma mesura elegante, e apanhou a bagagem do visitante. — Siga-me, por favor. O senhor deve estar cansado e faminto.

Atravessaram um corredor, subiram uma escada em caracol e em seguida pegaram outro corredor. Os passos de ambos ecoavam por todo o castelo. O conde enfim abriu a porta de uma sala clara, com uma boa lareira e uma farta ceia à mesa.

A gentileza e a educação do conde eram tamanhas que todas as dúvidas e os temores sumiram da mente do hóspede.

— Temos uma excelente galinha assada, queijos, salada e um antigo vinho húngaro — disse o conde. — Coma à vontade e me desculpe se não o acompanho, pois jantei mais cedo.

Jonathan entregou ao anfitrião a carta enviada por seu chefe: *Prezado conde Drácula, a saúde me impede de viajar, mas estou enviando um funcionário sério e competente, que tem toda a minha confiança. É um jovem discreto e talentoso, que há muito trabalha em minha firma de advocacia. Estará inteiramente à sua disposição. Atenciosamente, Peter Hawkins.*

Após o jantar, os dois se sentaram ao pé da lareira.

— Aceita um charuto? — o conde ofereceu, desculpando-se novamente por não acompanhar o hóspede.

Enquanto saboreava o charuto, Jonathan aproveitou para examinar as feições singulares do conde: um rosto bem marcado, másculo, com nariz fino e narinas arqueadas, testa protuberante, sobrancelhas grossas e vasta cabeleira, exceto ao redor das têmporas. As orelhas eram pálidas e pontudas, o queixo largo e forte. A boca quase não se via, escondida pelo bigode, mas, quando aberta, mostrava dentes brancos e exageradamente afiados. Muito curiosas eram também as mãos do nobre cliente: grosseiras, com unhas compridas e finas e um estranho tufo de pêlos no meio das palmas.

Ficaram os dois em silêncio observando o fogo e ouvindo, ao longe, os uivos de muitos lobos.

— Escute essas crianças da noite — disse o conde, com os olhos faiscando. — O som deles é música para os meus ouvidos. Ah, mas vocês, da cidade, não compreendem a alma de um caçador.

Levantou-se e apontou para uma porta.

— Ali é o seu quarto, espero que se sinta confortável. Terei que me ausentar durante todo o dia, então só nos veremos amanhã à noite. Tenha bons sonhos!

O quarto de hóspedes era amplo, claro e aquecido por uma boa lareira, mas foi com um ar angustiado que Jonathan se sentou à cama. Um medo estranho e inexplicável tomava conta de sua imaginação. Antes de dormir, pediu a Deus que o protegesse, pelo bem de Mina e de todos a quem queria bem.

Quando acordou, encontrou já servido um farto café da manhã. Ao terminar, tentou chamar um criado, mas não havia ninguém por perto. Desde que chegara, não tinha visto nenhuma pessoa, além do conde, nem ouvido nenhum ruído dentro do castelo. Também estranhou que um castelo com móveis tão finos, talheres de ouro, cortinas elegantes, não tivesse sequer um espelho. Para pentear o cabelo, foi obrigado a pegar na mala o seu pequeno espelhinho de barbear.

O dia seria longo e, como não queria andar pelo castelo sem a permissão do dono, procurou algo para ler. Encontrou duas ou três portas trancadas; outra, aberta, dava para uma biblioteca. Para sua alegria, as estantes estavam repletas de livros sobre a Inglaterra e os costumes ingleses: sua história, sua geografia, sua política, suas leis e outros temas.

Depois de algum tempo folheando os livros, Jonathan viu a porta se abrindo.

— Passou uma noite agradável? — perguntou-lhe o conde, entrando. — Que bom que você encontrou a biblioteca, há muita coisa boa por aqui. Desde o dia em que decidi comprar uma propriedade em Londres, venho estudando tudo sobre a sociedade inglesa. Aprendi a amar o seu país, meu caro amigo, e também a sua língua. Mas por enquanto, infelizmente, só a conheço por meio dos livros.

— Mas o senhor fala inglês fluentemente!

— Obrigado pelo elogio. — Ele fez uma mesura. — Mas estou apenas no início da minha caminhada. Se eu me mudasse hoje para Londres, todos perceberiam imediatamente que sou um estrangeiro. Isso não me basta. Aqui sou um nobre, reconhecido e respeitado por todos. Quem não é conhecido, não é amado, por isso quero que as pessoas me conheçam e me tomem por um autêntico inglês.

— Entendo...

— Você sabe por que está aqui, meu amigo? Não é apenas para tratar de minha casa em Londres. Quero que permaneça neste castelo e me ensine tudo o que desejo saber sobre sua língua e seu povo. Em nossas conversas, quero que você me alerte e me corrija a cada erro gramatical ou de pronúncia, por menor que seja.

— Pois não, senhor. Estou a seu dispor. Gostaria de saber se posso entrar livremente na biblioteca.

— Pode entrar em qualquer cômodo do castelo, menos nos que estiverem trancados, é claro. Esteja certo de que há um motivo para cada porta trancada.

— Não tenho dúvida.

— Estamos na Transilvânia, e nossos costumes são muito peculiares. Você deve ter percebido isso na viagem... Mas conte-me sobre Londres, é disso que quero saber. Como é a casa que você comprou para mim?

Jonathan abriu sua pasta e mostrou toda a documentação, além de um relato que havia preparado:

Trata-se de uma casa muito antiga, do período medieval. Precisa de alguns reparos, pois há anos está desabitada. Um dos lados tem poucas janelas, todas gradeadas, o que pode dar a aparência de uma prisão. A propriedade é cercada por muros altos, de pedra maciça, com um belo portão de carvalho e ferro, meio carcomido pela ferrugem. No jardim há um lago profundo, de águas escuras, mas muito limpas, e inúmeras árvores, que tornam o ambiente um pouco triste. Finalmente há uma velha capela, que se comunica com a moradia. Na vizinhança há poucas casas; a mais próxima é uma mansão que foi transformada num hospício particular.

— O lugar é perfeito! — exclamou o conde. — Não sei como você conseguiu encontrá-lo. Venho de uma família muito antiga e tradicional e não saberia morar numa construção moderna. São precisos muitos séculos para tornar uma casa habitável, meu amigo. As paredes velhas e arruinadas me lembram as deste castelo. Nessa casa vou poder fazer o que mais gosto: ficar a sós com meus pensamentos, na escuridão. Também me agradou muito a capela, pois nós, os nobres da Transilvânia, não gostamos de ver nossos ossos misturados aos dos mortos comuns.

Em seguida, o conde se virou e saiu da biblioteca. Só voltou depois de uma hora.

— Fui informado de que sua ceia está pronta. Venha comigo.

Mais uma vez a mesa era farta e, mais uma vez, o conde não comeu, garantindo que já tinha jantado. Depois da ceia, Jonathan estava com muito sono, mas o anfitrião não parava de fazer perguntas sobre a Inglaterra. Quando o inglês percebeu, o dia já clareava. Sentiu um arrepio, lembrando que a alvorada é a hora em que os moribundos costumam morrer. Um galo cantou ao longe e o conde se levantou num pulo:

— Ora, já amanheceu e eu não deixei você dormir. Peço que me desculpe a indelicadeza.

E, com uma mesura elegante, retirou-se da sala.

Jonathan dormiu inquieto e acordou bastante preocupado. Mais do que nunca, tinha certeza de que havia algo de errado naquele lugar deserto e silencioso. Pendurou seu espelhinho junto à janela e, quando ia começar a fazer a barba, sentiu uma mão pesada sobre o ombro.

— Bom dia! — disse Drácula, com sua voz profunda.

Jonathan levou um susto, porque, no espelho, não tinha visto o conde se aproximar.

— Bom dia, senhor! — respondeu, olhando de novo para o espelho.

Dessa vez confirmou o fato assustador: a imagem de Drácula não se refletia no espelho!

Naquele instante, notou que tinha se cortado com a lâmina de barbear e um filete de sangue escorria por seu pescoço. Quando se virou para procurar um curativo, viu que os olhos do conde, brilhando como brasa, miravam fixamente o sangue. Imediatamente, num ataque de fúria, ele saltou sobre o pescoço de Jonathan. Mas, quando suas mãos encostaram no crucifixo, ele recuou, assustado.

— Cuidado com essa lâmina — Drácula se recompôs e falou tranquilo, como se nada tivesse acontecido. — Aqui na Transilvânia, isso pode ser perigoso.

Em seguida pegou o espelho e atirou-o pela janela:

— A culpa toda é desse objeto maldito, que só faz refletir a vaidade humana.

E foi embora sem olhar para trás.

Durante o resto do dia, Jonathan não viu sinal do conde, nem de nenhum criado. Começou a desconfiar de que não havia mais ninguém no castelo, além dos dois. Para conferir, passou o dia explorando os corredores e cômodos do castelo. A maioria das portas estava trancada e todas as janelas davam para o precipício.

"Este castelo é uma verdadeira prisão", concluiu. "E eu sou um prisioneiro!"

3
ESTRANHAS VISÕES

JONATHAN SAIU CORRENDO DESESPERADO pelo castelo, forçando todas as portas e espiando por todas as janelas. Sentia-se como um rato na ratoeira. Só parou quando suas pernas não aguentavam mais. Então desabou no chão e tentou recuperar a calma. Precisava arquitetar um plano.

Só agora ele começava a entender o terror nos olhos das pessoas em Bistritz e na diligência para Bucovina. Ainda bem que ganhara daquela senhora o rosário com o crucifixo, senão não sabia o que teria ocorrido. Mas agora não podia, de forma alguma, deixar o conde perceber suas suspeitas.

À noite, aparentando calma, Jonathan conversou com Drácula sobre a história da Transilvânia. O conde falou de viagens e batalhas muito antigas como se tivesse presenciado tudo. Era evidente seu orgulho do sangue nobre e valente que corria em suas veias.

Depois começou a inquirir sobre seus futuros negócios na Inglaterra:

— Eu poderei ter dois ou mais advogados? Cada um cuidando de parte dos meus bens?

— Claro, é o que muitos fazem quando não desejam que todos os seus negócios sejam conhecidos por uma única pessoa.

— Ótimo, meu jovem. Você está me ajudando demais. Peço que escreva aos seus e diga que está tudo bem, mas avise-os de que você não vai voltar agora.

— Não?

— Vai ficar mais um mês comigo.

— Tanto tempo assim? — Jonathan sentiu o coração gelar.

— Claro, e não aceito recusas.

Diante do olhar firme e do sorriso malicioso de Drácula, Jonathan viu que não tinha saída, senão concordar. Seu anfitrião sabia muito bem que tinha o total controle da situação. Além disso, como funcionário do sr. Hawkins, Jonathan sentiu que não podia pôr seus receios pessoais acima dos interesses da firma.

Drácula pegou na gaveta alguns envelopes e papéis e entregou-os a Jonathan.

— Agora escreva para os seus. E aceite um conselho, meu amigo: você pode passear pelo castelo, mas nunca, jamais, adormeça em outro cômodo que não o seu quarto. Não posso garantir que terá um sono tranquilo neste castelo tão cheio de recordações e pesadelos...

Jonathan concordou com a cabeça. No fundo, não conseguia imaginar pesadelo pior do que o que estava vivendo naquele instante, e de olhos bem abertos. Então voltou para o quarto decidido a passar ali o resto da noite. Como se sentia preso e sufocado, resolveu abrir a janela para se refrescar com a brisa da noite.

A lua amarela iluminava o precipício diante do castelo e, ao longe, misturava montes e vales em uma única paisagem serena. Por um instante, a cena chegou a tranquilizar a alma de Jonathan. Mas dali a pouco notou um movimento na janela abaixo da sua, onde, supôs, ficava o quarto de seu anfitrião. Com todo o cuidado para não ser visto, esticou o pescoço e viu a cabeça do conde, que também mirava o precipício. Foi então que presenciou algo inacreditável: Drácula saiu pela janela e começou a descer a muralha, rastejando feito um animal, com uma agilidade impressionante. Sua capa negra balançava no ar, feito grandes asas.

A cena assustadora se repetiu na noite seguinte, e nas outras, deixando Jonathan cada vez mais perplexo. Que espécie de homem — ou monstro — seria seu anfitrião? Que lugar era aquele em que estava aprisionado? Só pedia a Deus para não enlouquecer.

Decidiu que precisava encontrar a chave da porta principal, para fugir do castelo. Aproveitando o momento em que Drácula descera pela muralha, saiu do quarto e começou a forçar as portas proibidas, uma a uma. Ao final de um corredor, uma das portas cedeu e ele se viu num amplo e elegante salão, que parecia abandonado havia muito tempo. Caminhou até a janela, mas notou que já começava a sentir o efeito do cansaço. Acabou adormecendo num sofá, sem se preocupar com a recomendação do conde.

Quando abriu os olhos, viu três lindas mulheres no lado oposto do salão. As três eram iluminadas pela lua, mas, para espanto de Jonathan, o corpo delas não fazia sombra no chão. Estaria apenas sonhando?

As três se aproximaram bem devagar, olhando para Jonathan, entre cochichos e risinhos. Duas eram morenas e a terceira, muito branca, mais ainda do que o conde, exibia longos cachos dourados. Tinham lábios carnudos, sensuais, o que realçava ainda mais os caninos longos e pontudos. Naquele momento, como que enfeitiçado pelas moças, Jonathan se esqueceu totalmente da noiva e desejou ardentemente ser beijado por aqueles lábios cor de sangue.

— Vá você primeiro — as morenas disseram para a loura. — Ele é jovem e forte, não faltarão beijos para nós.

A moça se ajoelhou diante de Jonathan, inclinou-se sobre o rosto dele e lambeu-lhe os lábios, ofegante. Seu hálito, notou o inglês, era doce feito mel, mas não conseguia disfarçar um leve cheiro de sangue. Cada vez mais lânguida, ela aproximou a boca do pescoço do rapaz, mas no instante em que os dentes afiados roçaram e pele de Jonathan, este arregalou os olhos, assustado: acabava de notar, por trás da moça, a presença do conde.

— Chega! — gritou Drácula, furioso, agarrando a jovem pelo pescoço e a atirando para longe. — Como vocês se atrevem a tocar no meu convidado? Ele me pertence, afastem-se daqui!

A moça loira lançou um olhar desafiador para o conde.

— Você nunca amou, você não sabe o que é o amor! — E deu uma gargalhada, que ecoou por todo o castelo.

— É aí que você se engana — disse o conde, com um gesto ameaçador. — Meu passado é prova de que também sou capaz de amar. Mas, enquanto eu não terminar meu serviço com este rapaz, vocês estão proibidas de tocá-lo.

Jonathan piscou várias vezes, para saber se estava acordado ou dormindo. Quando olhou ao redor, viu que as três tinham desaparecido feito vento, pela janela. Então o ambiente começou a rodar em volta dele, e desmaiou sobre o sofá. Só acordou muito tempo depois, já em seu quarto. Será que o conde o levara de volta, ou tudo não passara de um pesadelo? Não sabia mais o que era real, o que era sonho ou imaginação. Poderia confiar ainda em sua mente?

Levantou-se e tentou sair do quarto, mas a porta estava trancada. Além disso, toda a sua roupa tinha sumido, além de seu dinheiro, do talão de cheques e de todos os documentos, enfim, tudo o que poderia ajudá-lo, caso conseguisse escapar do castelo. Parecia que seus dias estavam mesmo contados.

Como só restava a janela, passou o dia observando o que ocorria do lado de fora do castelo. Lá embaixo, um grande grupo de ciganos chegava, descarregando várias caixas grandes, vazias. Alguns deles pegavam pás e picaretas e faziam algo que Jonathan não conseguiu descobrir.

Sentindo que os ciganos poderiam ajudá-lo a fugir, Jonathan gritou por socorro e balançou o braço várias vezes, mas eles não ouviram, ou, por algum motivo, não deram atenção ao pedido. O inglês acabou se conformando: os ciganos estavam a serviço do conde e jamais ousariam contrariá-lo.

No dia seguinte, as caixas começaram a ser levadas de volta às carruagens, as quais partiam. Agora deviam estar bem cheias, pois os ciganos as carregavam com muita dificuldade. O que haveria ali de tão pesado? Certamente os pertences do conde. Isso só podia significar uma coisa: a viagem para a Inglaterra seria muito em breve.

A partir de então, a presença de Jonathan no castelo se tornaria desnecessária e ele certamente seria morto pelo conde. Portanto, para se salvar, tinha que agir imediatamente. Para isso deveria entrar no quarto de Drácula e pegar as chaves.

Como o quarto de seu anfitrião ficava sempre trancado, sua única opção era sair pela janela e enfrentar o desfiladeiro, rastejando, agarrando-se às pedras, como vira Drácula tantas vezes fazer. Na pior das hipóteses, despencaria no abismo e morreria no mesmo instante. Mas preferia isso a ficar impassível no quarto, esperando a morte chegar.

4
UM SONO NADA INOCENTE

UMA TAREFA TÃO ARRISCADA como aquela só poderia ser feita à luz do dia, enquanto o conde estivesse dormindo, pois à noite ele estava sempre em vigília. Antes que perdesse a coragem, Jonathan tirou as botas e meteu-se janela afora. Olhou para baixo uma única vez, para afastar o medo do abismo, depois fixou o olhar no paredão. O revestimento entre as pedras estava gasto, criando algumas reentrâncias onde ele pôde firmar os pés e as mãos, no trajeto muralha abaixo.

Depois de poucos mas intermináveis metros, Jonathan conseguiu entrar pela janela do andar de baixo. Para sua surpresa, não havia nenhuma cama no quarto, nem o menor sinal do conde. Vasculhou as gavetas de todos os móveis, porém a chave da porta principal não estava ali. Ao fundo, havia uma porta entreaberta, que dava para uma escada íngreme, em caracol. Jonathan respirou fundo: não podia mais desistir. Desceu a escada com todo o cuidado, pois a passagem era muito escura, iluminada apenas por pequenos buracos na parede, por onde entrava a luz do dia.

O final da escada dava num corredor comprido, que exalava um cheiro forte e repugnante. Atravessou o corredor tapando o nariz e chegou a uma capela abandonada, que parecia ter sido usada como cemitério. Ali descobriu a origem do cheiro insuportável: a terra muito antiga que cobria todo o chão tinha acabado de ser removida e agora era usada para encher várias caixas grandes de madeira, idênticas àquelas que os ciganos tinham carregado para fora do castelo.

Em meio à penumbra, Jonathan examinou cada reentrância daquela capela fria e silenciosa. Quando chegou ao fundo, seus olhos se encheram de terror: deitado na última caixa, completamente imóvel, mas com os olhos vidrados, estava Drácula. Podia estar morto, ou dormindo um sono nada inocente. Jonathan testou o pulso do conde, tentou ouvir o coração, não notou nenhum sinal de vida. No entanto, os lábios dele estavam muito vermelhos e seus olhos, embora imóveis, pareciam fuzilar o intruso, com um ódio indescritível.

"Meu Deus! Estou ajudando esta criatura horripilante a se mudar para a Inglaterra...", pensou Jonathan. "Que barbaridades ele irá promover em meu país, que pessoas indefesas fará sofrer, que confraria demoníaca criará durante os próximos séculos?"

Mas ainda havia como impedir aquela tragédia. Bastava matá-lo ali mesmo. Olhou ao redor, em busca de algo que pudesse ser usado como arma, e só encontrou uma pá. Sem perder tempo, ergueu-a pelo cabo e preparou-se para atingir em cheio a cabeça de Drácula.

Bem na hora do golpe, os olhos arregalados do conde pareceram perturbar a mente e as mãos de Jonathan. A pá bambeou em seus dedos, escorregou e acabou acertando só de raspão a testa de Drácula. Assustado, o inglês deixou a pá cair de sua mão. Na queda, a lâmina derrubou a tampa da caixa, fechando o conde lá dentro.

Jonathan pensou em abrir de novo a caixa e tentar um novo golpe, mas não teve tempo. Naquele exato instante, os ciganos entraram, para buscar as últimas caixas. O inglês só conseguiu se esconder atrás de um móvel. Dali, sem mover um fio de cabelo, viu os ciganos fecharem as caixas com muitos pregos e em seguida levarem todas embora.

O jovem inglês não podia acreditar no que estava acontecendo... Ficou trancado naquele castelo tenebroso, sem roupas nem dinheiro, enquanto Drácula seguia para a Inglaterra, escondido num caixão.

Agora, se quisesse sair do castelo e algum dia rever sua querida Mina, só lhe restava uma alternativa: descer toda a muralha, enfrentando o mortal desfiladeiro, e depois tentar retornar à Inglaterra. Mas talvez fosse tarde demais...

5
ESPERA ANGUSTIANTE

NA INGLATERRA, A JOVEM Mina Murray não conseguia mais esconder sua aflição pela demora de Jonathan. Havia meses não recebia notícias do noivo e só encontrava algum consolo na companhia de sua grande amiga Lucy Westenra.

Por sorte, a vida de Lucy andava repleta de emoções nos últimos tempos. Tinha sido pedida em casamento duas vezes, por dois cavalheiros diferentes e, curiosamente, muito amigos entre si. O primeiro fora o dr. John Seward, médico muito rico e famoso, dono de um hospício particular. Segurou delicadamente as mãos da moça e se declarou perdidamente apaixonado. Prometeu fazer de tudo para deixá-la feliz. Mas, para seu desencanto, ouviu a amada dizer não.

Seward engoliu em seco e perguntou se Lucy tinha um outro amor.

— Sim — ela respondeu muito sinceramente, com uma lágrima descendo pelo rosto. — Mas ele ainda não se declarou.

Seward agradeceu a franqueza de Lucy e prometeu ser para sempre um amigo fiel e dedicado. Apanhando o chapéu, foi embora sem olhar para trás.

A moça suspirou, tristonha, porém com esperança de que em breve o seu verdadeiro amor se declarasse a ela. E suas preces foram logo atendidas. Não demorou muito para que Arthur Holmwood, filho único do lorde Godalming, tocasse a campainha.

No dia seguinte, quando recebeu Mina em sua casa, em Whitby, Lucy mal conseguia narrar o que acontecera:

— Foi tudo muito confuso. Na minha lembrança, parece que não se passou nem um minuto entre a chegada de Arthur e o instante em que começamos a trocar beijos ardentes. Ah, minha amiga, nem sei o que fiz para merecer um homem como ele.

Mina se mostrou feliz pela amiga, mas, no fundo, só conseguia pensar no que poderia ter acontecido a Jonathan naquela viagem à desconhecida Transilvânia.

— Eu só queria saber onde meu noivo está, Lucy, e se ele também pensa em mim...

— Mas é claro que sim, Mina. Jonathan é um rapaz muito bom e correto, e ama você perdidamente... Escute o que eu digo: em breve nós duas estaremos felizes, fazendo planos para nossos casamentos.

— Com uma diferença — respondeu Mina, sorrindo de lado. — Vocês vão começar a vida conjugal com todo o conforto, devido à fortuna de seu sogro, lorde Godalming. Jonathan e eu teremos que iniciar o casamento sem muitos luxos, pois ele acabou de se formar em Direito. Ainda bem que o chefe dele, o sr. Hawkins, o trata como o filho que nunca teve.

Recolheram-se. Lucy dormiu imediatamente, mas Mina não conseguiu pregar os olhos. Ainda estava acordada no meio da madrugada quando escutou passos no corredor. Foi verificar o que era e, para sua surpresa, encontrou Lucy caminhando, sonâmbula.

No dia seguinte, Mina chamou a mãe de Lucy para uma conversa reservada.

— Sra. Westenra, sua filha está muito feliz e eu não quero perturbá-la. Mas parece que ela retomou aquele velho hábito de andar durante o sono.

A mãe de Lucy franziu a testa, preocupada.

— Não me diga isso, querida! Os sonâmbulos correm muito perigo, pois sempre dão um jeito de chegar aos telhados e à beira dos precipícios. Você sabia que o pai dela tinha o mesmo problema? A partir de hoje, vou trancar a porta do quarto de Lucy todas as noites.

No dia seguinte, chegou a notícia de que o lorde Godalming estava com sérios problemas de saúde, e que Arthur teria que se ausentar por alguns dias. Então, para distrair a amiga, Mina a convidou para um passeio no alto do penhasco de Whitby. Elas gostavam de passear por ali, pois a vista era muito bonita. Sentaram-se em seu banco favorito, de onde podiam ver toda a praia e o mar.

O céu estava muito escuro e turbulento, o mar, tão agitado que todos os barcos se apressavam a voltar para o porto. Todos, menos um.

De onde estavam, Lucy e Mina viram, ao longe, um navio se aproximando sem a menor pressa, sem nenhum temor da tempestade que se anunciava.

— Parece russo... — comentou um velho marinheiro, amigo de Lucy, que estava por perto. — Não entendo o que ele quer. Reparem bem: tem hora que ele parece rumar pro norte, depois se volta para os lados de cá. Lembra um navio fantasma, solto no mar, sem direção...

6
PERIGO NA ESCURIDÃO

NAQUELA NOITE, A MAIOR tempestade da década desabou sobre Whitby. O mar parecia um monstro furioso, com imensas ondas se atirando violentamente contra os rochedos. O vento rugia, chacoalhando as árvores e levantando a areia da praia. Todos os curiosos que estavam no cais tiveram que ser retirados às pressas.

O navio estrangeiro era o único que permanecia no mar, sem recolher as velas, alheio ao perigo. Chacoalhava desgovernado de um lado para o outro, sobre as ondas gigantescas, aproximando-se a toda a velocidade de um grande rochedo ao lado do porto. Tudo indicava que ele se estraçalharia de encontro às pedras, mas subitamente o vento mudou de direção. Como por milagre, a embarcação atracou no píer, sã e salva.

Imediatamente, o faroleiro apontou o holofote na direção do navio, para ajudar a tripulação a desembarcar, mas ninguém desceu. Quando o foco iluminou o leme, todos no porto tremeram de pavor: um cadáver, já meio decomposto, estava amarrado ao leme. Era ele quem tinha manobrado a embarcação até o porto!

Enquanto todos se entreolhavam e se benziam, um grande cachorro negro saltou do tombadilho para a areia e dali subiu o penhasco e desapareceu em direção ao cemitério.

Um médico subiu a bordo para examinar o capitão morto e descobriu que, mesmo com as mãos amarradas ao leme, ele segurava um rosário.

— Parece estar morto há pelo menos dois dias — afirmou o médico. — Imagino que tenha amarrado suas próprias mãos ao leme, puxando a corda com os dentes.

Em seguida, a polícia fez a vistoria no navio e descobriu os documentos da viagem. A embarcação, chamada *Demeter*, era proveniente de Varna e sua única carga era uma grande quantidade de caixas de madeira, cheias de terra. O carregamento estava endereçado ao sr. S. F. Billington, advogado em Whitby, e a ele tudo foi entregue no mesmo dia.

O cachorro negro não foi mais encontrado, mas um alerta de perigo foi distribuído pela cidade, pois ele parecia muito forte e feroz. No dia seguinte, nas cercanias do cemitério, um mastim apareceu morto, com a garganta furada e a barriga rasgada. A polícia concluiu que ele tinha brigado com o animal que saltou do navio.

Na casa de Lucy, Mina começava a se preocupar com a saúde da amiga. Os ataques de sonambulismo se repetiam todas as noites, e a moça estava cada vez mais pálida. Também tinha ficado muito impressionada com o incidente do navio fantasma, o capitão morto e o cachorro desaparecido.

Naquela noite, Mina acordou sobressaltada, com um pressentimento ruim. Correu até o quarto de Lucy e o encontrou vazio. A amiga tinha conseguido destrancar a porta, mesmo dormindo. Mina vestiu-se rapidamente e a procurou por toda a casa, em vão.

"Ela não pode ter ido longe", pensou. "Afinal, está só de camisola..."

Andou pelo jardim, chamando Lucy e, quando viu aberto o portão da rua, sentiu um arrepio, temendo que a amiga tivesse subido o penhasco. Pegou um xale pesado e correu rua acima, sem enxergar quase nada, pois uma nuvem cobria a luz da lua.

Tentando espantar o medo, Mina se aproximou da velha igreja e do cemitério, que ficavam na beira do penhasco. Ao longe, enxergou, aliviada, o vulto de Lucy sentada em seu banco favorito. Mas o alívio logo se transformou em pavor, quando notou que a moça não estava sozinha. Um outro vulto se inclinava sobre ela. Sem distinguir se era uma pessoa ou um animal, Mina apressou ainda mais o passo e gritou, desesperada:

— Cuidado, Lucy,!

Mas a amiga permanecia imóvel. De repente, o vulto se aprumou, virou-se para Mina e a encarou com olhos flamejantes. Então outra nuvem escondeu a lua e, quando clareou novamente, Lucy já estava sozinha.

Mina encontrou a amiga muito pálida e ofegante. Ainda dormindo, levava as mãos ao pescoço, como se tentasse fechar a gola. Mina enrolou o xale no pescoço de Lucy e prendeu-o com um alfinete. A amiga deu um gemido e inclinou a cabeça, revelando dois pequenos furos no pescoço.

— Desculpe, querida, devo ter furado seu pescoço com o alfinete. Agora venha comigo, vamos voltar para casa — sussurrou Mina.

Quando entraram no quarto, Lucy parecia muito preocupada:

— Por favor, Mina, eu imploro: não conte nada do que aconteceu a ninguém. Nem mesmo a minha mãe. A saúde dela anda muito frágil, ela não pode se abalar.

Mina jurou silêncio, sabendo que a notícia poderia causar muita vergonha, tanto a Lucy quanto à sra. Westenra.

Pela manhã, concluiu que sua decisão fora acertada, pois Lucy acordou alegre e saudável como havia muito não se mostrava. Ainda assim, na noite seguinte, Mina decidiu dormir no mesmo quarto de Lucy, para evitar qualquer perigo. Já era alta madrugada quando um barulho a acordou. A amiga estava sentada na cama, ainda dormindo, e apontava para a janela. Mina abriu a cortina com cuidado e observou a lua cheia iluminando toda a vizinhança.

Não demorou para notar um grande morcego que voava em círculos, perto da janela. Num dos giros, o bicho chegou quase a tocar o vidro, mas, quando notou a presença de Mina, assustou-se e voou para longe, em direção ao cemitério.

Mais um dia se passou tranquilo, e, como Lucy quis dormir cedo, Mina resolveu dar um passeio, para pensar em Jonathan e rezar por sua volta. Quando estava voltando para casa, viu que Lucy estava olhando pela janela aberta, com a cabeça pendida para fora.

— Ei, Lucy! — chamou, imaginando que a amiga a estivesse procurando.

Mas Lucy não respondeu. Chegando mais perto, Mina notou que a amiga estava dormindo e que havia algo junto à sua cabeça, talvez um pássaro de grande porte. Mina subiu correndo as escadas, porém, ao abrir a porta do quarto, encontrou Lucy de volta à cama, ainda adormecida e com a respiração muito ofegante. A mão da amiga apertava a garganta, como que tentando se proteger do frio.

Na noite seguinte, Mina testemunhou outra cena estranha. Na hora de dormir, trancou a porta do quarto e a guardou no bolso. Mas, de madrugada, acordou com a janela aberta e Lucy inclinada para fora, dormindo, ofegante. Na outra noite, quando acordou, a janela estava escancarada e a amiga, muito pálida, desmaiada ao chão.

Os dois ferimentos no pescoço de Lucy não tinham cicatrizado. Pior: estavam abertos e tinham o contorno esbranquiçado em torno de um centro vermelho.

— Sinto muito, minha amiga — Mina sussurrou, mesmo sabendo que Lucy não podia escutar. — Porém, se você não melhorar em dois dias, vou ser obrigada a contar o que está se passando a alguém. Se não posso comentar nada com sua mãe, que está muito doente, será para o seu amigo, o dr. John Seward.

7
O REENCONTRO

NA MANHÃ SEGUINTE, PORÉM, Mina nem se lembrou dos ferimentos da amiga. Logo pela manhã, recebeu uma carta com notícias de Jonathan:

Budapeste, 24 de agosto.

Prezada srta. Murray,

Estou escrevendo a pedido de seu noivo, Jonathan Harker, que está em meu convento há seis semanas, recuperando-se de uma meningite. Ele chegou aqui em estado muito grave, mas vem reagindo bem, graças a Deus, a São José e a Nossa Senhora. Ele pede que a senhorita venha buscá-lo e que traga dinheiro e roupas.

Seu noivo fala muito de você e sonha com o dia do casamento. Mas peço que tenha muita paciência e cuidado, pois ele não pode passar por nenhuma emoção forte. O pobre rapaz certamente viveu alguma experiência muito traumática antes de vir para cá. Em seus delírios, ele só falava de sangue, veneno, lobos, fantasmas, demônios e outros seres ainda mais terríveis.

Deus queira que ele se recupere depressa e que vocês sejam felizes para sempre.

Atenciosamente,

Irmã Ágata.

Muito angustiada, ainda que aliviada, Mina partiu no primeiro barco para a Alemanha e em seguida tomou o trem para Budapeste. Três dias depois, encontrou o noivo. Ele estava dormindo, muito fraco, pele e osso simplesmente. Nem parecia o rapaz vigoroso que tinha saído da Inglaterra alguns meses antes. Com certeza passara mesmo por algum trauma terrível.

Quando acordou, abriu um grande sorriso para a noiva:

— Mina, você não pode imaginar o que passei. Eu não teria nem forças para lhe contar. Mas relatei tudo, nos mínimos detalhes, em um pequeno caderno que consegui trazer. Ele tem a capa preta e está ali no meu casaco. Como não quero que haja nenhum segredo entre nós, peço que se sinta à vontade para lê-lo. Porém, por favor, não me conte nada do que ler, porque até hoje eu não sei se tudo foi real ou um delírio provocado pela meningite. Não quero nem mesmo me lembrar de nada.

Sem abrir o caderno, Mina guardou-o debaixo do travesseiro e deu um beijo na testa no noivo.

— A irmã Ágata já conseguiu permissão para que seu superior realize o casamento — continuou Jonathan. — Só espero a sua resposta, minha querida Wilhelmina...

Mina estremeceu de emoção, pois Jonathan não a chamava assim desde o dia do noivado.

— Minha resposta é sim, meu amor.

O casamento foi realizado. Depois da cerimônia, Mina embrulhou o caderno com um papel branco e o amarrou com uma fita azul.

— Este caderno vai continuar fechado, Jonathan, como sinal de nossa confiança mútua. Eu juro que, neste momento, sou a mulher mais feliz do mundo.

As palavras de Mina eram de total sinceridade. No fundo, porém, ela tinha um mau pressentimento com relação a Lucy. Como estaria a saúde da amiga? Os ataques de sonambulismo teriam parado? E os ferimentos no pescoço? Em silêncio, rezou para que, àquela hora, Lucy estivesse forte e feliz, ao lado do noivo Arthur.

8
SOFRIMENTO SEM FIM

EM WHITBY, LUCY TINHA motivos para comemorar. Arthur voltara, após a melhora da saúde do pai, e já a pedira em casamento. No entanto, ela mal conseguia sorrir ao lado do noivo. Passava os dias triste e confusa, sentindo um medo inexplicável. Durante as noites se esforçava para não dormir, com um estranho pressentimento de que algo ruim iria acontecer.

Certa vez, depois de muito lutar, acabou vencida pelo sono. Acordou com o relógio soando meia-noite. Algum pássaro, ou outro bicho, batia as asas insistentemente na janela, querendo entrar, mas ela não teve ânimo para se levantar.

Pela manhã, sentia-se ainda mais fraca. Seu rosto no espelho parecia o de um cadáver, e sua garganta doía muito. Quando Arthur a viu naquele estado, decidiu que não podia mais esperar. Tinha que buscar ajuda.

No mesmo dia, procurou o dr. John Seward, o mesmo que pedira Lucy em casamento antes dele.

— Eu sei de seus sentimentos por ela — disse Arthur. — Mas não é hora de me preocupar com isso. Nossa querida Lucy tem alguma doença muito grave e piora a cada dia que passa.

O dr. Seward dirigiu-se imediatamente à casa de Lucy e a encontrou sozinha no quarto. Mal conseguiu disfarçar o espanto ao vê-la tão magra e abatida. Ao final do exame, chamou Arthur para uma conversa reservada.

— É muito estranho, meu amigo. Lucy está doente, sem dúvida, porém não é nenhuma moléstia que eu conheça. Notei que ela está com pouco sangue, mas não encontrei os típicos sinais de anemia. Talvez a causa da doença seja mental, já que ela se queixa de sono conturbado e perdas de memória.

— Ela foi sonâmbula quando criança. Você acha que o problema pode ter voltado?

— Infelizmente, sim. Ela me contou que, alguns dias atrás, levantou-se no meio da noite e caminhou dormindo até o penhasco. Foi Mina quem a encontrou lá.

— O que podemos fazer, John?

— Esse caso ultrapassa os meus conhecimentos. Se você concordar, posso escrever uma carta pedindo ajuda ao professor Van Helsing, de Amsterdã. Ele conhece profundamente essas doenças misteriosas. Tenho certeza de que ele fará isso por mim, pois salvei a vida dele há alguns anos.

— Podemos confiar nesse Van Helsing?

— Sem sombra de dúvida! Ele é muito enérgico, parece autoritário, mas no fundo é um homem generoso e, mais do que um brilhante cientista, é um grande conhecedor da filosofia e da metafísica.

Como previu Seward, o dr. Van Helsing viajou imediatamente para a Inglaterra. Os dois chegaram juntos à casa de Lucy.

— É um prazer conhecê-la, senhorita! — Van Helsing cumprimentou, sorridente. — Meu grande amigo John está muito preocupado com você. Mas o infeliz vive cercado pelos loucos, o que ele entende das jovens, como você? As mocinhas não contam seus segredos aos médicos jovens como ele. Preferem fazer suas confidências aos velhos, como eu, que já vimos todas as tristezas do mundo.

John sorriu, envergonhado.

— Já entendi o recado. Vou deixá-los a sós — disse, saindo do quarto.

Meia hora depois, Van Helsing desceu com o semblante muito preocupado.

— Concordo com o seu diagnóstico, John. Ela perdeu mesmo muito sangue. Posso garantir que se trata de um caso de vida ou morte. Talvez até mais do que isso.

— Mais do que isso? — John não compreendeu. — Como assim?

— Quando chegar a hora, você saberá. Preciso voltar para casa e pesquisar sobre o assunto. Por favor me telegrafe com as notícias. Se houver necessidade, voltarei imediatamente.

A má notícia não demorou uma semana. Certa manhã, após alguns dias de leve melhora, Lucy acordou muito mal. Seward não teve outra saída senão chamar o dr. Van Helsing de volta.

Ao descer do trem, o professor apressou-se em perguntar:

— John, você já disse algo para o noivo dela?

— Não, preferi esperar a sua opinião.

— Fez muito bem. É melhor que o noivo não saiba nada por enquanto, e talvez nunca!

— Você está me deixando angustiado com tanto segredo...

— Ah, John, você sempre foi um dos meus melhores alunos. Mas ainda não é o momento de aprender essa lição. Vamos depressa, que a pobre Lucy precisa de nossa ajuda.

Ao entrarem no quarto, os dois se assustaram com a palidez da moça. A cor tinha sumido de seus lábios, grandes olheiras manchavam seu rosto e ela mal conseguia respirar. Van Helsing se esforçou para não demonstrar preocupação. No entanto, chamou John para fora do quarto e afirmou categoricamente:

— Ela pode morrer a qualquer momento por falta de sangue. Temos de realizar uma transfusão de emergência.

Naquele exato momento, o noivo de Lucy bateu à porta.

— Arthur, este é o famoso professor Van Helsing — apresentou o dr. Seward, sorrindo. — Ele veio me ajudar a cuidar do caso de Lucy.

— Muito obrigado, professor. Deixei meu pai com os médicos e vim correndo. Estou muito preocupado com a saúde de Lucy. Posso vê-la?

— Você vai fazer mais do que isso, rapaz. Vai salvar a vida dela.

Arthur arregalou os olhos, mas falou firme:

— Por ela eu doaria até minha última gota de sangue.

— Não peço tudo isso... — brincou Van Helsing. — Sua noiva está muito mal e, se não receber sangue, poderá morrer a qualquer instante. Como você é o mais forte de nós três, é a pessoa mais indicada para fazer a doação.

— Meu Deus!... — Arthur desabou numa poltrona. — É tão sério assim?

— Infelizmente, sim — disse Seward. — Por favor, não diga nada à sra. Westenra. A saúde dela também inspira muitos cuidados.

Van Helsing tirou da maleta todo o material necessário: remédios, agulhas, copos. Em seguida, entrou no quarto de Lucy e deu-lhe um narcótico. A dose era alta, mas a moça estava tão fraca que o remédio custou a fazer efeito. Finalmente, quando ela caiu num sono profundo, o professor iniciou a transfusão.

Rapidamente a cor voltou à face da moça. Arthur, por sua vez, ficou um pouco pálido. Seu rosto, porém, era de uma felicidade completa.

— Desça e tome um bom vinho do Porto, para recuperar suas forças — aconselhou Van Helsing. — Depois volte para casa e descanse. Nós cuidaremos de Lucy.

Quando Arthur saiu, Van Helsing puxou o lençol e mostrou para Seward as duas marcas vermelhas no pescoço de Lucy.

— Você já viu isto, John?

— Já. Cheguei a pensar que o ferimento fosse o motivo da perda de sangue, mas logo descartei a hipótese, pois teria manchado de sangue toda a cama. Qual é a sua teoria, professor?

— Não posso dizer ainda. Preciso voltar a minha casa para buscar alguns objetos importantíssimos. Nesses dois dias quero que você fique de vigília durante toda a noite, ao lado da cama dela. Não deixe que nada a perturbe, ouviu bem?

Na primeira noite, John seguiu à risca a orientação de Van Helsing e, pela manhã, ficou muito feliz ao notar a melhora de Lucy. A moça acordou forte e sorridente, e passou o dia inteiro bem disposta. Quando caiu a noite, disse a Seward:

— Meu amigo, você já passou uma noite em claro e está vendo como estou boa, muito boa mesmo. Hoje, eu é que vou zelar por você. Durma no quarto ao lado do meu e prometo que o chamarei se precisar de alguma coisa.

John estava tão fatigado que não teve forças para recusar a oferta. Mal deitou-se, caiu num sono profundo. Acordou na manhã seguinte, chamado por Van Helsing.

— Já voltou, professor?

— Acabei de chegar. E a nossa doente, como vai?

— Ontem ela estava muito bem. Imagino que esteja ainda melhor esta manhã.

Dirigiram-se para o quarto de Lucy e abriram a porta com cuidado.

— Meu Deus do céu! — balbuciou Van Helsing, ao ver a moça.

Lucy estava desfalecida na cama, terrivelmente pálida, com a boca entreaberta. John temeu que ela estivesse morta e correu para auscultar o coração.

— Ainda está batendo, mas muito fraco! — gritou.

Van Helsing já estava abrindo a maleta e preparando a parafernália para mais uma transfusão.

— Hoje você não escapa, John. Tire a camisa e prepare-se para a transfusão.

9
AS GARRAS DA MORTE

JÁ ERA TARDE QUANDO Lucy recobrou os sentidos. Ao abrir os olhos, notou que ao redor da cama estavam dois homens que ela muito admirava e que faziam tudo para salvar sua vida. Sorriu emocionada.

Van Helsing devolveu o sorriso, entregando-lhe um ramalhete de flores brancas.

— Muito obrigada, professor. O que eu fiz para merecer isso?

— Essas flores são para a sua saúde, minha querida — explicou o médico. — São medicinais.

Lucy as cheirou e fez uma careta:

— Parecem flores de alho... O professor está brincando comigo?

— Eu nunca brinco em serviço, mocinha. O que você precisa, neste momento, é justamente dessas flores de alho. Vou fazer uma guirlanda e você deverá usá-la, como um colar, durante todo o dia. Além disso, vou espalhar o resto pelo quarto, especialmente em volta da janela.

Lucy o encarou com um ar assustado, depois virou-se para o dr. Seward, em busca de alguma explicação.

— Confie no professor Van Helsing, Lucy. Ele jamais toma uma decisão sem um motivo muito forte.

— Mas para que servem estas flores? — ela continuava sem entender.

— Talvez para afastar um espírito do mal — respondeu John, inseguro, olhando para Van Helsing.

— Talvez... — repetiu o professor.

No dia seguinte, John e Van Helsing chegaram bem cedo, curiosos para saber o estado de Lucy. A sra. Westenra abriu a porta sorridente:

— Lucy ainda não saiu do quarto, e eu não quis acordá-la.

— Bom sinal — disse o professor. — O tratamento já começa a funcionar.

— Mas não pense que o mérito é todo seu, professor. Eu também fiz a minha parte — falou a sra. Westenra, zombeteira.

— Como assim? — John estranhou.

— Esta noite eu senti que o quarto de Lucy estava muito abafado e com um cheiro insuportável de alho. Então abri bem as janelas e retirei do quarto todas as flores. Inclusive o colar que minha filha estava usando no...

Van Helsing nem esperou o final da frase. Saiu em disparada escada acima e abriu a porta do quarto de Lucy.

— Meu Deus! Não posso acreditar!

De olhos fechados e branca feito cera, Lucy quase não respirava. Os dois ferimentos em seu pescoço estavam ainda mais inchados e escurecidos.

— Nem tudo está perdido! — gritou o professor, já arregaçando a manga da blusa. — Desta vez, John, eu é que vou doar meu sangue.

A transfusão demorou muito para fazer efeito, mas finalmente Lucy recobrou os sentidos. Van Helsing montou então uma nova guirlanda de alho e outra vez encheu o quarto com as flores malcheirosas. Em seguida, chamou a sra. Westenra e os criados, e afirmou taxativo:

— Todos estão proibidos de retirar as flores de alho deste quarto. O colar também não pode sair do pescoço de Lucy em hipótese alguma. Compreenderam bem?

Todos balançaram a cabeça, concordando.

— Farei de tudo para salvar minha pobre Lucy — disse a sra. Westenra, com os olhos marejando de lágrimas.

— Muito bem. É a nossa última esperança — declarou Van Helsing, firme. — Agora vamos descer, pois Lucy precisa de sossego.

O professor mal sabia a tragédia que o surpreenderia no dia seguinte. Quando chegaram para a visita matinal, ele e Seward bateram à porta insistentemente, e, como ninguém respondia, resolveram arrombar uma janela. Encontraram todos os criados caídos ao chão, desacordados. Um cheiro forte de sonífero empesteava o ar.

— Depois cuidamos deles! — exclamou Van Helsing. — Vamos direto ao quarto de Lucy.

A cena que o professor encontrou no quarto era pior do que seus mais terríveis pesadelos. Lucy e a mãe estavam estiradas sobre a cama. Inexplicavelmente, a guirlanda de alho estava sobre o peito da sra. Westenra, e não no pescoço da filha. A janela tinha sido estilhaçada e as cortinas balançavam nervosas, sacudidas pelo vento. Cacos de vidro espalhavam-se pelo chão.

Van Helsing tentou auscultar o coração de Lucy, mas seu olhar anunciou a má notícia.

— Infelizmente, não há mais nada a fazer. A pobre Lucy não resistiu.

— A mãe também está morta — disse Seward.

John se aproximou do rosto de Lucy, para examinar os ferimentos do pescoço e, para seu espanto, viu que as marcas tinham desaparecido completamente. Também notou a boca de Lucy diferente: os lábios estavam mais afastados e os dentes caninos, mais salientes. Quando ia mostrar essas mudanças a Van Helsing, descobriu um bilhete, ao lado do travesseiro, escrito com letra muito fraca e tremida:

Queridos amigos,

Estou escrevendo com o pouco que me resta de forças. Sinto sobre mim as garras da morte e não posso ir embora sem relatar os fatos terríveis que acabaram de acontecer.

Há algumas semanas, desde o dia em que caminhei sonâmbula até o rochedo e fui salva por Mina, venho sendo perturbada por algum bicho que teima em bater à minha janela, tentando entrar. Receio que, algumas vezes, eu me levantei, sonâmbula, e abri a janela. Mas não me lembro de nada que ocorria depois disso. Só sei dizer que a cada dia eu me sentia mais fraca, apesar dos esforços de todos vocês. Eu tinha certeza de que algo de horrendo estava para acontecer. E, desgraçadamente, a hora chegou.

Esta noite, escutei aquele barulho na janela e me levantei para ver o que era. Havia um enorme morcego do lado de fora. No mesmo instante, comecei a ouvir um uivo muito forte, como o de um lobo, no jardim. Resolvi voltar para a cama e tentei dormir, mas não consegui. Minha mãe, que também tinha ouvido os uivos, entrou no quarto, para ver se eu estava bem. Pedi que ela se deitasse comigo e ela aceitou.

Não demorou um minuto e nos assustamos com um forte estrondo. Um lobo cinzento, com olhos muito brilhantes, tinha quebrado a janela e estava bem aqui, diante da minha cama. Eu fechei os olhos, apavorada, e senti minha mãe agarrar a guirlanda do meu pescoço e cair desacordada para trás. Quando tive coragem de olhar ao redor, vi que o lobo tinha sumido. De repente, uma estranha neblina entrou pela janela e se espalhou pelo quarto, rodopiando como um redemoinho. Comecei a me sentir tonta, minha visão escureceu. Tentei fugir, mas me sentia atordoada, enfeitiçada por aquela fumaça, e acabei perdendo os sentidos. Quando acordei, horas depois, descobri que minha mãe estava morta ao meu lado.

Preciso terminar este bilhete, antes que a morte me carregue. Meu pes-

coço dói como nunca, meu corpo não tem mais forças... minha hora está chegando. Agradeço a todos que tentaram me ajudar e mando meu amor eterno ao Arthur. Que Deus proteja todos vocês.

Lucy

No dia do enterro, Lucy estava linda e corada, o que deixou Arthur muito perturbado.

— Será que não houve algum engano, John? Será que ela está morta mesmo?

O dr. Seward confortou Arthur:

— Muitas vezes a morte tem esse estranho efeito, de suavizar o rosto das pessoas e revelar a beleza perdida.

Em seu íntimo, Seward tampouco conseguia compreender por que Lucy ficava mais encantadora a cada hora que passava.

Arthur caiu de joelhos diante do caixão, chorando desesperadamente:

— O que farei de minha vida, John? O mundo perdeu o sentido.

Van Helsing abraçou o rapaz e disse em voz suave:

— Entendo o seu sofrimento, meu jovem, e não posso fazer nada para diminuí-lo. Mas posso lhe garantir pelo menos uma coisa: em breve, todo o mistério será desvendado e esta história enfim fará sentido.

10
MÁS NOTÍCIAS

DE VOLTA A LONDRES, Mina e Jonathan oficializaram o casamento numa cerimônia simples e reservada. Caminhavam tranquilamente para casa pelas ruas do centro, quando Jonathan parou de repente e apertou com força o braço da esposa.

— É ele... — sussurrou, petrificado, apontando para um homem do outro lado da rua.

— Ele quem? — Mina não entendeu.

— O conde! Tenho certeza de que é ele. Embora mais jovem...

Mina puxou Jonathan pelo braço e os dois se afastaram do local. Nos olhos do marido, porém, o horror permanecia estampado. Não havia mais como esperar: chegara a hora de abrir o caderno de Jonathan, com o relato completo da viagem à Transilvânia.

Horas depois, deitada em seu quarto, Mina não conseguia pregar os olhos. Via o marido dormindo a seu lado, e mal conseguia acreditar no que tinha acabado de ler. Como Jonathan conseguira suportar tantos momentos de pavor? Como conseguira vencer tantos perigos? Sentiu-se orgulhosa da força e da valentia do marido. Seria tudo verdade ou apenas um delírio provocado pela meningite? Podia ou não acreditar nas cenas tenebrosas que estavam relatadas no caderno? Talvez nunca soubesse a verdade, pois não teria coragem de tocar no assunto.

Porém, tudo mudou na manhã seguinte, quando uma notícia ainda mais trágica bateu à sua porta.

— Bom dia, sra. Harker! Sou o professor Van Helsing. Lamento informar que sua amiga Lucy não resistiu...

— O quê? Lucy? Não pode ser! — Mina explodiu em lágrimas descontroladas.

— Infelizmente é a verdade. O dr. John Seward e eu fizemos de tudo para salvá-la, inclusive três transfusões de sangue, mas não conseguimos recuperar suas forças. A pobre moça foi enterrada anteontem.

— Meu Deus, quantas notícias horríveis...

— Você tem algo a me contar que possa ajudar a esclarecer o que aconteceu com a pobre Lucy? Soube de algum fato misterioso, inexplicável?

Mina sentiu sinceridade nos olhos e nas palavras de Van Helsing. Pediu um segundo e foi até o quarto buscar o caderno de Jonathan.

— Eu gostaria que o senhor lesse isto, professor. É o relato da viagem do meu marido a uma terra chamada Transilvânia.

— Não diga? — O rosto de professor se iluminou com a notícia. — Isso pode ser muito importante, tenho certeza. Posso ler agora mesmo?

— Claro! Aproveite que meu marido está no trabalho.

Van Helsing sentou-se numa poltrona e devorou o relato com uma mistura de encanto e revolta. Ao final, olhou para Mina.

— Seu marido é um homem admirável. Poucas pessoas no mundo conseguiriam sobreviver ao que ele passou.

— Então o senhor acha que é tudo verdade?

— Acho, não. Tenho certeza absoluta!

— Professor, eu imploro ao senhor que não conte nada a Jonathan. Prometi a ele que não abriria o caderno, como prova da nossa confiança.

— Então por que leu?

— É que desde ontem ele está muito perturbado, pois acredita ter visto o conde Drácula no centro de Londres.

— Meu Deus! Isso confirma tudo... Coitada da Lucy...

— Não me diga que a morte de Lucy tem a ver com esse maldito conde!

— Sinto dizer que sim. Tem tudo a ver com o Drácula. Mas, se ele está em Londres, minha cara, pode ter certeza de que estou preparado para encontrá-lo e destruí-lo. Porém não poderei fazer isso sem a ajuda de Jonathan. Ele é o único que viu o conde nos últimos tempos.

— Tem certeza, professor? Não podemos deixar Jonathan fora dessa missão? Tenho muito medo, porque ele ainda está fraco e perturbado.

— Pelo contrário. Por tudo que acabei de ler, tenho certeza de que ele terá força e coragem para me ajudar. Precisamos fazer isso em homenagem a Lucy. E também para salvar os outros.

— Que outros? Não estou entendendo...

— Nós todos, querida. Nós todos. A cada dia que passa, Drácula fica mais forte e, em breve, ninguém poderá detê-lo. Assim que seu marido chegar para o almoço, vou contar tudo o que aconteceu com Lucy e convidá-lo para me acompanhar hoje ainda até Whitby. Temos algo urgente para resolver.

Mina não conseguiu conter as lágrimas.

— O que pode ser tão urgente agora? Lucy já está morta...

— Quem dera a morte resolvesse tudo, sra. Mina. Às vezes, a morte é apenas o começo da desgraça.

11
O TÚMULO ABERTO

NA MANHÃ SEGUINTE, O dr. Van Helsing e Jonathan chegaram cedo ao consultório do dr. Seward.

— John, este é Jonathan Harker, marido da sra. Mina, melhor amiga de Lucy. Ele vai nos ajudar a desvendar a morte de Lucy. Mas, antes de mais nada, quero que você leia esta notícia que foi publicada no jornal de hoje:

Mais uma criança perdida foi localizada em Hampstead. Como nos casos anteriores, a garota tinha sumido de casa na noite anterior e foi encontrada muito fraca e pálida, com dois pequenos ferimentos no pescoço. A polícia suspeita de algum animal misterioso. Várias crianças ainda estão desaparecidas.

— Não entendi a relação dessa triste história com a morte de Lucy — afirmou o dr. Seward. — A única semelhança é o ferimento no pescoço.

— Exatamente. Está começando a entender agora?

— Confesso que não.

— Ah, meu caro John! Mesmo depois de tantas evidências, você ainda não desconfia do real motivo da morte de Lucy?

— O motivo foi a fraqueza extrema, provocada pela perda de sangue.

— E o que provocou essa perda?

— Não sei, professor. Você acredita que o mesmo animal que provocou a morte de Lucy tem atacado também as crianças?

— Infelizmente, a verdade é muito pior do que isso — sussurrou o professor, escondendo o rosto com as mãos. — John, foi a própria Lucy que atacou as crianças!

— Que absurdo! — gritou o médico, furioso. — Você ficou louco?

Van Helsing levantou a cabeça e o encarou:

— Eu preferia estar louco, meu amigo. Mas é a pura verdade. O jovem Jonathan, aqui do meu lado, pode confirmar minha teoria. Ele também enfrentou vampiros.

— Vampiros? — Seward balançou a cabeça, perplexo. — Não me venha com histórias absurdas...

— John, você é um médico, um cientista que só acredita na razão. Mas para entender este caso, é preciso afastar todos os preconceitos. Há muita coisa no mundo que a lógica não explica, mas que existem mesmo assim. Por exemplo: os vampiros que atacaram Jonathan na Transilvânia.

Seward desabou sobre uma poltrona. Sentia a mente revirar, como se procurasse espaço para acomodar aquelas informações.

— Sei que é muito díficil acreditar no que estou dizendo, John, ainda mais pelo carinho que você tinha por Lucy. Mas entenda: a criatura que está no túmulo não é mais a Lucy que tanto encantou a todos nós. Se eu não tivesse certeza disso, não pediria o que estou prestes a pedir.

— O que é? — John perguntou, já se encolhendo, angustiado.

— Eu preciso que você e Jonathan me acompanhem esta noite até o cemitério onde Lucy foi enterrada. Abriremos o túmulo dela e eu provarei a minha tese.

— Você quer profanar o túmulo de Lucy?

— É a única maneira de salvar essa criança e as outras vítimas de Lucy. Vocês estão prontos? Terão coragem de me seguir?

Mesmo arrasado, John aceitou o desafio. Conhecia Van Helsing muito bem e sabia que ele não faria nada se não estivesse totalmente convicto. No caminho, o professor contou tudo o que sabia sobre vampiros:

— É importante que vocês conheçam bem o inimigo que irão enfrentar. No princípio eu também hesitei em acreditar na existência dos vampiros, ou nosferatus, como também são chamados. Mas pesquisei tantos anos e ouvi tantos relatos que minhas dúvidas terminaram. Vejam bem: o vampiro não é como a abelha, que morre quando pica sua vítima. Pelo contrário, ele fica mais forte cada vez que se alimenta com o sangue dos vivos. O vampiro que Jonathan enfrentou na Transilvânia é capaz de destruir vinte homens, sozinho, com a brutalidade e a crueldade do próprio demônio. Também é muito inteligente, pois há séculos vem acumulando conhecimentos. Em determinadas circunstâncias, pode assumir a forma de qualquer animal, como o lobo e o morcego que aterrorizaram nossa pobre Lucy.

— Ele também pode se transformar em poeira — lembrou Jonathan. — Foi o que aconteceu um dia, no castelo.

— E também na casa de Lucy — completou o dr. Van Helsing. — Outro detalhe importante é que o vampiro consegue comandar todos os animais chamados vis: ratos, lobos, morcegos e corujas. Ele não é refletido pelos espelhos e enxerga perfeitamente no escuro, o que é muito útil neste mundo cuja metade está sempre coberta pelas trevas.

— Parece impossível detê-lo — lastimou Seward.

— É aí que você se engana, meu amigo. Por sorte, o vampiro também está sujeito a diversas limitações. Por exemplo: ele só tem plenos poderes quando está em sua própria casa, ou num cemitério, ou dentro de um caixão contendo sua terra natal.

— É por isso que ele trouxe para a Inglaterra caixas e mais caixas cheias de terra retirada do castelo... — falou Jonathan.

— Exatamente — confirmou Van Helsing. — Além disso, o vampiro perde sua força quando o sol nasce, para só retomá-la no fim da tarde. Também existem alguns objetos e substâncias que destroem o seu poder, como o alho, os crucifixos e a água benta. Mas para matar um vampiro, para realmente varrê-lo da face da Terra, só existe uma forma: cravar seu coração com um espeto de madeira e cortar sua cabeça.

A essa altura, os três já estavam diante do portão do cemitério. Van Helsing deu um longo suspiro, antes de concluir:

— Quero que vocês entendam uma coisa... Lucy foi vítima de um vampiro e, se as minhas suspeitas se confirmarem, ela também se tornou vampira. Vocês estão preparados para fazer o que precisa ser feito?

John e Jonathan engoliram em seco, mas assentiram com a cabeça.

— Muito bem. Eis o que vamos fazer: primeiro entraremos no mausoléu dos Westenras, depois eu abrirei a tampa do caixão.

Não havia mais como recuar. Van Helsing acendeu uma vela e forçou a porta do mausoléu. Afastou do caixão as flores, que já estavam murchas e secas, começando a cheirar mal. Em seguida pegou na maleta uma chave de fenda e retirou os parafusos.

Num impulso, Seward segurou a mão do professor, tentando detê-lo.

— Será mesmo preciso? E se eu disser que acredito em tudo o que você falou?

— Não basta acreditar, John. É preciso enfrentar. — E, com um golpe rápido, fez um furo na tampa, por onde passaria a serra.

John afastou o rosto, esperando que um jato de gás saísse do caixão, mas, para seu espanto, nada aconteceu.

Van Helsing serrou um dos lados do caixão, dobrou a lâmina para cima e aproximou a vela. O caixão estava vazio.

— Como você me explica isso, John?

— Nãã... não sei... — gaguejou o médico, ainda tentando duvidar. — Talvez algum ladrão...

Mas, naquele instante, ouviram passos a poucos metros de onde estavam.

— Venham, precisamos nos esconder — murmurou Van Helsing.

Os três se postaram atrás de uma árvore e, dali a poucos segundos, viram um pequeno vulto se aproximar. Era uma criança, cambaleando, entre os túmulos.

— Meus Deus, será que está ferida? — perguntou Jonathan. — Vamos ajudá-la.

Van Helsing pegou a criança nos braços e os três a levaram até uma delegacia.

— Temos que deixá-la diante da porta, certamente um policial irá encontrá-la. O que não podemos é permitir que alguém nos veja, senão teríamos que contar que a encontramos no cemitério, no meio da noite. Além do mais, precisamos voltar até o túmulo de Lucy.

— Voltar... para quê?

— Confie em mim, John.

Seward sabia que não conseguiria fazer Van Helsing mudar de ideia.

No mausoléu, o professor abriu de novo o caixão. Seward esperava encontrá-lo vazio, mas levou um grande susto. Lucy estava lá, e ainda mais bonita do que no dia do enterro. Seus lábios estavam muito vermelhos, o rosto, mais rosado.

— Inacreditável... — disse Seward, estupefato.

Van Helsing ergueu com os dedos o lábio superior da morta.

— Reparem como os dentes estão maiores e mais afiados. É com estes dentes que ela está atacando as crianças.

— Mas ela parece tão serena... — Seward balançava a cabeça, incrédulo.

— É verdade, rapazes. É por isso que, para mim, será tão difícil matá-la.

— Mas ela já está morta!

— Nada disso. Apenas não está viva. É muito diferente. Para morrer de verdade, é preciso decapitá-la e encher sua boca com flores de alho. Para terminar, atravessarei seu coração com um espeto.

— Meus Deus... — horrizou-se Seward. — O que Arthur pensaria disso?

Van Helsing aprumou o corpo e arregalou os olhos.

— Você tem razão, John. Eu não posso matar Lucy. Não sem antes conversar com Arthur.

12
UMA ALMA EM PAZ

NO DIA SEGUINTE, O dr. Seward recebeu no consultório seu bom amigo Arthur Holmwood. Van Helsing e Jonathan também estavam presentes.

— Sente-se, Arthur — pediu Seward, vendo que o amigo ainda estava abalado com a morte da noiva. — Temos algo de muito grave para conversar.

— Pois não, podem dizer.

— Queremos sua autorização, e mais do que isso, sua participação, numa triste tarefa que precisamos realizar — falou o dr. Van Helsing.

— É claro — respondeu Arthur, em voz baixa. — Eu tenho plena confiança em vocês. Qual é a tarefa?

— Eu sei que parece um despropósito, meu caro, ainda mais depois de tudo o que você sofreu. Mas entenda: nosso objetivo é o mais nobre possível — acrescentou o professor.

— Digam logo o que é! — impacientou-se Arthur. — Se não for nada que contrarie minha honra e meus princípios cristãos...

— Bem... — hesitou Van Helsing. — Tudo depende do ponto de vista. O que queremos é que venha conosco até o cemitério onde Lucy está enterrada.

— Não vejo problema nisso.

— Depois entraremos no mausoléu dos Westenras.

Arthur se levantou num pulo.

— Que tipo de brincadeira é essa, professor?

— Não é brincadeira — respondeu Van Helsing, com a voz firme. — É um assunto extremamente sério. Precisamos abrir o caixão de Lucy.

— Nunca! Jamais permitirei tamanho absurdo!

— Entendo sua indignação, meu amigo. E juro pelo que há de mais sagrado: se eu pudesse evitar...

— Qual a justificativa possível para profanar o túmulo da minha amada?

— Deixe-me terminar, e você compreenderá tudo. Pense comigo: se Lucy está morta, não podemos fazer nenhum mal a ela, correto?

— Correto.

— Mas e se por acaso ela não estiver morta?

— O que você quer dizer, professor? Lucy pode ter sido enterrada viva?

— Eu não disse isso. Infelizmente ela não está nem viva, nem morta. Está num estágio intermediário.

— Ora, isso não faz nenhum sentido!

— Meu amigo, esta história envolve perigos que você nem sequer imagina. Para evitar o pior, precisamos cortar a cabeça de Lucy.

Arthur não conseguiu conter as lágrimas.

— Por que estão fazendo isso comigo? Estão todos loucos? Não posso aceitar: tenho o dever de proteger a memória de Lucy.

— Certamente. Mas tenho o dever de proteger você, nossos amigos, todos, enfim, de um mal muito maior. Por favor, Arthur. Você é testemunha dos esforços que John e eu fizemos para salvar Lucy da morte. Agora precisamos salvar a alma dela. Tudo o que peço é que você nos acompanhe até o cemitério.

— O professor tem razão, Arthur — apoiou Seward. — Eu também custei a concordar, mas infelizmente não há outra solução.

— Se vocês me garantem, sou forçado a concordar.

Já eram quinze para a meia-noite quando o grupo entrou no cemitério. A noite estava muito escura, com nuvens carregadas escondendo a lua. Van Helsing, que seguia um pouco à frente, abriu o mausoléu e apontou a lanterna para o caixão.

— John e Jonathan, vocês estiveram aqui comigo, ontem. Confirmam que o corpo de Lucy estava no caixão?

— Estava — confirmaram os dois.

Então o professor abriu a tampa e apontou para dentro do caixão.

— Pois vejam agora. Está vazio!

— Meu Deus! — gritou Arthur, horrorizado. — Como isso aconteceu?

— Aguarde alguns minutos e você entenderá — pediu Van Helsing. — Agora preciso preparar o material.

Dizendo isso, retirou da maleta uma massa fina, misturou-a com uma farinha branca, obtendo uma pasta grossa, que começou a aplicar em todas as fendas do caixão.

— Isto que acabei de preparar, meus amigos, é nada menos do que a hóstia consagrada. Ela vai impedir que a não morta volte para dentro do caixão. Agora aguardemos.

Depois de um longo período de silêncio, eles ouviram passos leves se aproximando. O professor apontou para a direita, de onde vinha um vulto branco, segurando algo no colo. Naquele momento, as nuvens se abriram e foi possível distinguir, perfeitamente, a figura de Lucy, trazendo ao colo uma criança loira. Para a surpresa dos presentes, toda a meiguice havia sumido do rosto da moça, que agora transparecia crueldade.

Sem hesitar, Van Helsing apontou a lanterna para o rosto de Lucy, que se assustou, soltando a criança. Um filete de sangue fresco escorria dos lábios dela, manchando o pano de sua mortalha. Quando Lucy viu os quatro, deu um passo para trás, rosnando, furiosa. No chão, a criança chorava de medo e de dor.

— Venha comigo, meu amado — Lucy chamou Arthur, com um gesto sensual e voz diabólica. — Meus braços e meus lábios esperam por você...

Arthur entrou em transe e começou a andar em direção à noiva, mas, imediatamente, Van Helsing meteu-se entre os dois e apontou para ela um crucifixo dourado.

Lucy recuou com um guincho animalesco e correu em direção ao jazigo. Quando estava a um passo do caixão, porém, não conseguiu mais avançar. Uma força invisível a impedia. Então fuzilou Van Helsing com os olhos e escancarou a boca num grito tenebroso.

— E então, Arthur, você me autoriza a concluir meu trabalho?

— Faça o que quiser, professor. Nunca em minha vida verei algo tão horripilante quanto o que acabei de presenciar.

Van Helsing pegou a chave de fenda e retirou a hóstia de uma das fendas do caixão. Num segundo, Lucy transformou-se em fumaça e penetrou no esquife. Em seguida, o professor tapou a fenda novamente com a hóstia.

— Não podemos matá-la durante a noite, mas ela está presa no caixão e, por causa da hóstia, não conseguirá escapar. Amanhã durante o dia voltaremos para terminar o serviço.

Todos concordaram. No dia seguinte, encontraram-se à porta do cemitério. Vestiam preto, como se estivessem preparados para testemunhar o verdadeiro enterro da infeliz Lucy.

Quando Van Helsing abriu a tampa do caixão, Arthur se espantou com o que viu. Lucy dormia tranquila, mais bela do que nunca.

— Se eu não tivesse visto o que vi ontem, jamais aceitaria fazer isso... — garantiu.

Van Helsing apanhou um bisturi, um espeto grosso de madeira, com a ponta muito afiada, e um martelo pesado.

— Ouçam bem, rapazes. O que vamos fazer agora é para o bem de Lucy, e também das pobres crianças que ela atacou. Com a morte do vampiro, todas as suas vítimas se salvam.

Olhando nos olhos de Arthur, completou:

— Meu amigo, acredito que você deve ter a honra de salvar para sempre a alma de sua amada. Será um momento difícil para você, mas, depois, sua alegria será infinita. Segure o espeto com a mão esquerda e o martelo com a direita. Quando iniciarmos a oração fúnebre, crave o espeto com toda a força no coração de Lucy.

Arthur posicionou o espeto na altura do coração da morta e, quando ouviu a prece, deu um golpe violento com o martelo. A criatura se contorceu toda, soltando um grito terrível. Os dentes rangeram e, dos lábios, saiu uma espuma avermelhada. Vieram o segundo e o terceiro golpes de martelo. As contorções diminuíram, a boca se fechou, o silêncio invadiu o mausoléu. A missão estava cumprida.

Dali a poucos segundos, toda a ternura e a pureza retornaram às feições da moça. Arthur deu um suspiro, aliviado:

— Descanse em paz, meu amor.

Van Helsing se aproximou de Arthur e lhe deu um forte abraço. Depois limpou a garganta e afirmou, decidido:

— Meus amigos, esse foi o primeiro passo. Agora é que vem a parte mais arriscada. Chegou a vez de encontrarmos o grande causador de toda esta tristeza. Chegou a vez do conde Drácula.

13
GOLPE INESPERADO

QUANDO JONATHAN CONTOU À esposa tudo o que acontecera no cemitério, ela não hesitou:

— A partir de agora, quero acompanhar vocês na busca por Drácula. Não vou sossegar enquanto esse monstro estiver vivo.

Jonathan tentou demovê-la da ideia, mas foi em vão. No dia seguinte, lá estavam os dois no consultório do dr. Seward, ao lado de Arthur e do dr. Van Helsing.

— É um prazer vê-los tão animados e bem dispostos — falou o professor. — Nosso primeiro passo é descobrir o paradeiro do grande vampiro. Parece que Jonathan tem algumas informações para nos passar.

— Isso mesmo — confirmou o advogado. — Há alguns meses, negociei a venda de uma mansão para um nobre estrangeiro, sem imaginar quem o comprador era na verdade. Por coincidência, a casa fica bem perto daqui do hospício; podemos ir lá hoje ainda.

— Será que os caixões estão lá? — perguntou Van Helsing.

— Que caixões? — quis saber Arthur, que desconhecia essa parte da história.

— O conde mandou virem, de navio, cinquenta caixões recheados com sua terra natal — explicou Jonathan. — Imagino que estejam todos na mansão.

— Precisamos encontrar os caixões e esterilizar a terra — disse Van Helsing. — Assim, Drácula perderá seu esconderijo.

— Posso ir com vocês? — animou-se Mina.

— Não acho aconselhável — respondeu Van Helsing. — Já notei que você é uma jovem valente e decidida, mas Drácula é muito poderoso, e eu nunca me perdoaria se algo acontecesse a você.

— Fique aqui no hospital — sugeriu Seward. — Se demorarmos para voltar, você pode dormir no quarto que fica bem ao lado do consultório.

Muito a contragosto, Mina aceitou ficar ali, estudando as anotações do caderno de Jonathan.

Enquanto isso, os quatro se dirigiram à mansão de Drácula, saltaram o muro e entraram no pátio, escondendo-se na sombra das árvores. Van Helsing pegou na maleta uma série de objetos e os distribuiu aos companheiros: crucifixos, flores de alho, lanternas, além de um revólver e uma faca. Depois, com a habilidade de cirurgião, abriu a fechadura da porta de entrada.

A casa estava toda coberta de poeira e teias de aranha, mas algumas pegadas recentes estavam nítidas no chão.

— Ele andou por aqui — sussurrou Arthur.

— Você anotou naquele caderno que havia uma capela na propriedade — lembrou o professor, olhando para Jonathan. — De que lado ela fica?

Jonathan mostrou a direção e os outros o seguiram por um corredor estreito, até chegarem à pequena porta em arco que dava acesso à capela. Assim que abriram a porta, tiveram que tapar o nariz, pois um cheiro insuportável tomava todo o local.

— Os caixões estão aqui! — Apontou Arthur, empolgado. — Vai ser mais fácil do que imaginamos.

— Não se iluda — comentou Van Helsing. — O conde é esperto, não deixaria todos os caixões no mesmo local.

Feita a contagem, verificaram que, realmente, só havia 49 caixões.

— Com certeza ele escondeu um dos caixões em outro lugar, para alguma emergência — declarou Seward.

— Mesmo assim, vamos esterilizar todos os que estão aqui. Já será um grande golpe no vampiro.

A tarefa foi muito demorada, pois, além da escuridão do local e de seu ar empesteado, logo descobriram que estava infestado de ratos, que corriam entre as pernas dos quatro. Depois de algumas horas, porém, cada caixão recebeu um jato de água benta, tornando-os inúteis a Drácula.

— Vamos embora depressa — pediu Jonathan. — Já é madrugada e eu estou aflito por saber que Mina está dormindo sozinha.

De volta ao hospital, uma tenebrosa surpresa os aguardava. Jonathan tentou abrir a porta do quarto onde Mina estava.

— Mina, abra a porta, por favor!

Não houve resposta.

— Mina, por favor, estamos preocupados!

Van Helsing sentiu um calafrio e gritou:

— Não podemos perder tempo. Vamos arrombar esta porta!

A cena que viram foi chocante: Mina estava ajoelhada à beira da cama e, inclinado sobre ela, segurando-a com toda a força, o conde Drácula mordia seu pescoço.

— Nããão! — gritou Jonathan.

O conde ergueu a cabeça revelando um olhar demoníaco. Seus longos dentes rangiam e o sangue escorria de sua boca. Num gesto brusco, atirou a moça para longe e ameaçou saltar sobre os homens, mas Van Helsing foi mais rápido: sacou do bolso a hóstia consagrada e apontou-a na direção do vampiro.

Drácula recuou um passo, o professor avançou dois, agora apontando também um crucifixo. Então uma nuvem encobriu a lua, deixando o quarto totalmente às escuras. Quando Seward conseguiu acender a lamparina, tudo o que se viu foi uma bruma que escapava janela afora.

Transtornado, Jonathan não conseguia dizer uma palavra. Simplesmente olhava para a esposa, que, deitada ao chão, tremia e chorava sem parar. Seu pescoço e sua camisola estavam cobertos de sangue.

— E agora, professor? Eu fui contaminada, estou imunda!

Van Helsing a levantou e a pôs de volta na cama.

— Fique tranquila, minha filha — consolou-a, entregando um crucifixo e algumas flores de alho. — Nós iremos protegê-la dessa terrível maldição.

Seward também tentou animá-la:

— Quando o conde voltar à mansão, terá uma péssima surpresa: conseguimos esterilizar todos os caixões dele, menos um.

— E o que acha que ele vai fazer, professor? — perguntou Mina, ainda trêmula.

— Vai se esconder no último caixão que resta e voltará para o castelo, na Transilvânia.

— Tem certeza disso? — questionou Arthur.

— Ora, meu amigo, eu seria capaz de apostar todos os meus anos de pesquisa. E nós precisamos chegar lá antes dele, para surpreendê-lo.

— Mas como faremos isso? — retrucou Arthur.

— Bem, o único meio de levar o caixão de volta é de navio. Portanto, precisamos atravessar a Europa de trem, que é mais rápido.

E, notando que Jonathan já estava mais calmo, Van Helsing lançou-lhe um sorriso maroto.

— Meu jovem, prepare já suas malas. Estamos de partida para sua querida Transilvânia...

14
CAÇA AO VAMPIRO

NO PORTO DE LONDRES, Jonathan e Van Helsing verificaram que um único navio, o *Czarina Catarina*, tinha partido em direção à cidade de Varna, no mar Negro. Seu trajeto iria durar cerca de duas semanas, saindo do rio Tâmisa, descendo o Atlântico, depois atravessando todo o Mediterrâneo, até alcançar o mar Negro, pelo estreito de Bósforo.

— Vocês viram se um homem alto e muito pálido embarcou no *Czarina*? — perguntou Van Helsing aos funcionários do porto.

— Sim, senhor. Estava muito ansioso e sua única bagagem era uma caixa pesada, de madeira.

O professor suspirou, aliviado, e comentou com Jonathan:

— Drácula só poderá desembarcar quando o navio chegar ao destino, pois os vampiros não cruzam águas correntes. Se tudo der certo, chegaremos antes dele, e o atacaremos de dia, antes do pôr do sol.

Na manhã seguinte, Van Helsing e seu grupo pegaram o trem em direção a Varna. Desta vez, Mina não aceitou ficar para trás.

— Meu amado Jonathan e queridos amigos — disse ela a todos —, quero fazer um pedido. Tenho plena confiança em nosso sucesso, mas, se por acaso algo der errado e Drácula conseguir escapar, quero que vocês me prometam uma coisa.

— É claro! — respondeu Jonathan, sem imaginar o que iria ouvir. — O que é?

— Quero que Jonathan me mate.

— O quê? — espantou-se o marido.

— Entenda, meu amor. Eu não sou mais como vocês, meu sangue foi contaminado. Se eu não for libertada pela morte de Drácula, não poderei viver em paz. Prefiro morrer pelas mãos do único homem da minha vida. Tenho a palavra de todos?

Depois de um longo silêncio, cada um dos homens disse sim.

Quando chegaram a Varna, receberam uma notícia aterradora:

— O *Czarina Catarina* aportou ontem à noite em Galatz — explicou o oficial do porto.

— Mas como isso foi possível? — indagou Seward.

— Foi um estranho acontecimento. Tempestades horrendas assaltaram o navio no Mediterrâneo e o capitão foi obrigado a desviar sua rota. Subiu pelo rio Danúbio e chegou a Galatz.

— O demônio nos enganou! — bufou Van Helsing. — Era de esperar... Agora, com certeza, ele seguirá pelo rio Sereth, que é bem discreto e desemboca no Bistritz, já próximo ao castelo.

— Meus Deus! — gritou Jonathan, apavorado. — O que vamos fazer agora?

— Calma, meu rapaz — respondeu Van Helsing. — Ainda podemos alcançá-lo na estrada, antes que ele chegue ao castelo.

— Isso mesmo — emendou Mina, retirando da bolsa um papel todo dobrado. — Estudei a fundo o mapa da região. Se pegarmos uma diligência e seguirmos por Fundu, temos uma boa chance.

Van Helsing examinou o mapa e completou:

— Vamos nos dividir em dois grupos. John e Arthur seguirão a cavalo e poderão cercar o conde pela direita. Mina, Jonathan e eu vamos de trem até Veresti e dali pegaremos uma carruagem rumo ao desfiladeiro de Borgo. Atacaremos pela esquerda. Que Deus nos ajude!

— Amém! — responderam todos.

O sol já se aproximava das montanhas quando a carruagem do professor e seus companheiros chegou perto do castelo. Van Helsing fez sinal para o cocheiro parar e sacou da maleta um binóculo para examinar a estrada.

— Veja, Mina! — gritou empolgado, passando o binóculo a ela.

A algumas centenas de metros, vinham quatro ciganos numa carruagem, carregando um caixão de madeira. Um pouco atrás, já era possível ver dois cavalos se aproximando a toda a velocidade, trazendo Arthur e Seward.

— Quando a carruagem chegar aqui, vamos encurralá-la.

E foi o que fizeram. Jonathan e Van Helsing se postaram no meio da estrada e gritaram para os ciganos:

— Parem!

Os ciganos diminuíram o ritmo, assustados. Não conheciam a língua inglesa, mas o gesto era inconfundível. Logo em seguida, ouviram outro grito enérgico, vindo de trás:

— Nós mandamos parar!

Era a voz de Arthur, que já os tinha alcançado.

O líder dos ciganos gritou alguma coisa e apontou para o céu, parecendo indicar aos companheiros que precisavam chegar ao castelo antes do pôr do sol. Então, num impulso, ele chicoteou os cavalos, tentando forçar passagem. Mas Van Helsing e Arthur sacaram suas carabinas, mostrando que não os deixariam prosseguir.

Intimidado, o líder dos ciganos fez sinal para os outros jogarem ao chão suas facas e pistolas. Sem saída, os quatro desceram da carruagem e se afastaram.

Jonathan, vendo que o sol estava prestes a se pôr, saltou sobre a carruagem e, com um golpe violento, abriu a tampa do caixão. Ali estava o conde, mais pálido do que nunca, com olhos vermelhos que transbordavam fúria e desespero.

Antes que o sol desaparecesse no horizonte, Jonathan sacou o facão e rasgou o pescoço do vampiro, ao mesmo tempo em que Arthur cravava uma estaca de madeira em seu coração miserável.

Para a surpresa de todos, uma expressão de paz cobriu o rosto de Drácula durante um segundo, antes que seu corpo inteiro se transformasse em pó.

Mina passou os dedos no pescoço e, com grande alegria, constatou que as marcas em sua pele tinham desaparecido.

— Graças a Deus! — comemorou Van Helsing, emocionado. — O vampiro foi derrotado! A maldição acabou!

O MÉDICO E O MONSTRO

Robert Louis Stevenson

Adaptação de Leo Cunha

ROBERT LOUIS STEVENSON.

Escocês, nasceu em Edimburgo, em 1850, e faleceu em Samoa, em 1894. Era filho de um engenheiro e uma pastora da igreja puritana. Os pais eram pessoas conceituadas em suas áreas e quiseram que o filho seguisse uma dessas carreiras.

Robert tentou corresponder a esse ideal e, em 1866, ingressou na Faculdade de Engenharia de Edimburgo, mas seu interesse real era pela literatura. Desde os 20 anos de idade, escrevia contos e novelas para revistas e jornais ingleses. Sua saúde frágil (sofria de tuberculose) o levou a viajar para inúmeras partes do mundo; finalmente encontrou seu lugar ideal nas ilhas dos mares do Sul. Viveu em Honolulu e em 1889 fixou residência em Samoa.

Foi escritor prolífico, publicando contos, ensaios, romances e peças teatrais. Entre essa vasta obra, existem dois clássicos imortais da literatura popular: A ilha do tesouro, *um exemplar romance de aventuras, foi publicado, com outro título, em folhetim entre 1881 e 1882 e lançado, já com esse nome, em 1883. Três anos depois, em 1886, Stevenson publicou outro sucesso,* O médico e o monstro.

O livro foi escrito num surto febril de produção, em apenas três dias. Essa primeira versão horrorizou sua esposa de tal modo que Stevenson queimou o original; arrependeu-se e escreveu a nova versão em outros três dias. Talvez inspirado pela sua rígida formação puritana, o autor quis registrar a alma humana nos seus mais contraditórios aspectos, naquilo que poderia haver de bom e diabólico dentro de cada um.

O resultado é fascinante. Conhecemos o pacífico dr. Jekyll, que anseia viver seus desejos mais intensos, mas que se contém pela moral e pelos bons costumes. Ele inventa uma fórmula que o libera das convenções e o transforma no perverso sr. Hyde.

A lição que o livro aponta traz inúmeras implicações. Freud começava seus estudos da alma humana e a dualidade dr. Jekyll/sr. Hyde confirmava suas teorias do inconsciente. Cada um viu implicações psicológicas ou morais de acordo com suas convicções. Para os moralistas, a história exemplificava o destino de quem não sabe conter seus baixos instintos com oração e autocontrole... O público em geral, porém, encontrou, na história, um enredo fascinante, uma brilhante narrativa de suspense.

Escrita em estilo enxuto e jogando com múltiplos narradores, O médico e o monstro *seduziu na época e continuará seduzindo leitores pelos séculos afora.*

1
O ESTRANHO CASO DA PORTA

O SR. UTTERSON ERA um sujeito de poucos sorrisos. Falava de forma tímida e fria, evitando demonstrar seus sentimentos. Mas havia algo de simpático naquele advogado alto e magricela. Na companhia dos amigos, especialmente após algumas taças de vinho, seu olhar não conseguia esconder uma certa ternura.

Quando estava sozinho, o único prazer que se permitia era um copo ou dois de gim. Porém, apesar de muito comedido, admirava nos outros o espírito aventureiro e até mesmo algumas contravenções, chegando a invejar os mais ousados, que ele preferia ajudar, em vez de criticar.

"Cada um escolhe seu caminho para o inferno", gostava de repetir. Não é por acaso que os decadentes e rejeitados costumavam recorrer ao sr. Utterson, cujo olhar impassível e solidariedade cristã pareciam fazer parte de sua natureza.

Seu afeto pelas pessoas crescia com o passar do tempo, feito hera. Só isso podia explicar sua amizade com o extrovertido Richard Enfield. Ninguém conseguia imaginar o que aqueles dois tinham em comum, afora um distante laço familiar. Em suas caminhadas dominicais, mal trocavam duas palavras. No entanto, ambos esperavam ansiosamente por cada encontro e recusavam qualquer outro compromisso para o domingo.

Foi numa dessas caminhadas pelo centro de Londres que os dois acabaram entrando numa ruela de ar tranquilo. Qualquer pedestre a notaria no meio das vizinhas malcheirosas: janelas pintadinhas, metais bem polidos e um clima geral de limpeza e felicidade.

Quase na esquina, à esquerda, o meio-fio era interrompido por um pátio e, justo ali, a sombra de um prédio sinistro avançava sobre a rua. No térreo, havia uma porta solitária, bolorenta, sem campainha nem argola. No andar superior, um paredão encardido, sem uma janela sequer. O vão sob as marquises tinha sido tomado pelos mendigos, as paredes estavam cobertas de rabiscos infantis.

— Você já reparou naquela porta? — perguntou Enfield, apontando com a bengala. — Ela me lembra um caso muito estranho.

— É mesmo? Qual?

— No inverno passado, eu estava voltando para casa, lá pelas três da madrugada, numa escuridão sem fim. Um silêncio de igreja. Sabe quando a gente começa a ouvir coisas e torce para encontrar um guarda? Pois então. Bem nessa hora, eu vi um homem baixinho, que vinha manquitolando, apressado. No sentido oposto, surgiu, desenfreada, uma garota de uns oito a dez anos.

— Os dois bateram de frente?

— Bem na esquina. Mas agora é que vem o pior: acredita que o baixote pisoteou a menina e foi embora na maior calma, deixando a coitada aos berros? Foi uma cena pavorosa. Ele não parecia um ser humano, mas um monstro. Eu saí correndo, agarrei o sujeito pelo pescoço e o trouxe de volta até ali, onde um grupo de pessoas já se amontoava ao redor da menina.

— Ele não ofereceu resistência?

— Nada. Parecia tranquilo, mas me lançou um olhar tão horrendo que me deu arrepios. O grupo ao redor da menina eram os parentes e o médico que ela ia chamar. Segundo o doutor, a menina estava bem, fora só o susto. Porém, estávamos todos tão furiosos que não sei como ninguém tentou matar o baixote.

— E então, o que vocês fizeram?

— Ameaçamos fazer um escândalo. Garantimos que ele nunca mais teria crédito na cidade, nem amigos, nada. Nesse meio tempo, o doutor e eu tivemos que conter as mulheres, que queriam avançar sobre o estranho homem.

— Ele ficou com medo?

— Um pouco, claro. Mas desdenhava a gente feito um satanás: "Nenhum cavalheiro gosta de escândalos. E noto que vocês querem tirar algum proveito deste acidente, portanto, digam logo o preço". Exigimos cem libras para a família da menina.

— E ele pagou?

— Hesitou um pouco, mas acabou aceitando. E sabe onde ele foi buscar o dinheiro? Sacou do bolso uma chave e entrou justamente por essa porta bolorenta. Dali a pouco, voltou com dez libras em moeda e um cheque ao portador, com a assinatura de um homem muito famoso, mas cujo nome não posso revelar. Se a assinatura fosse verdadeira, qualquer banco descontaria o cheque, mas argumentei que o negócio parecia muito suspeito. Quem é que entra num prédio em ruínas às quatro da manhã e sai de lá com um cheque de outra pessoa? "Não se preocupem", ele manteve o risinho irônico, "ficarei com vocês até o banco abrir e descontarei pessoalmente o cheque". E foi o que fizemos, depois que amanheceu.

— E o cheque era roubado?

— Não. Autêntico.

— Que incrível!

— Também achei — garantiu Enfield. — Parece até mentira, pois o dono do cheque é um senhor conhecido, respeitável. Sabe esses homens que dedicam a vida a fazer o bem? Só pode ser chantagem: um homem honesto pagando caro pelas loucuras da juventude.

— Será que o dono do cheque vive ali? — O advogado apontou para o prédio sinistro.

— Não. Fiz questão de conferir; ele mora numa praça.

— E o que você descobriu sobre este imóvel em ruínas?

— Nada. Não gosto de ficar xeretando. A gente começa com uma pergunta aqui, outra ali, e de repente vira uma bola de neve rolando morro abaixo até cair na cabeça de um velhinho que não tinha nada a ver com a história. Por isso, quanto mais estranho o caso, menos pergunto.

— É, parece uma boa regra. Porém, sem querer contrariá-la, eu só gostaria de saber uma coisa: qual é o nome do baixinho?

— Não vejo mal nenhum em contar isso: ele se chama Hyde.

— Você poderia descrevê-lo para mim?

— Ah, é um sujeito difícil de ser descrito. Ele tem alguma coisa de repugnante, mas não sei explicar o que é. Uma deformidade, sei lá...

Utterson seguiu pensativo, até que parou.

— Tem certeza de que ele usou uma chave para entrar?

— Como assim?

— Pode parecer estranho, mas já sei o nome do outro envolvido, o dono do cheque. O círculo está se fechando, por isso preciso saber se algum detalhe da história pode estar errado.

Enfield pareceu irritado:

— Ora, você deveria ter me falado desde o começo... Mas garanto que fui preciso em cada detalhe. Inclusive, vi o baixinho usando a chave de novo, há menos de uma semana.

E como o amigo não disse mais nada, Enfield suspirou:

— Isso é bom para eu aprender a ficar calado. Peço desculpas. Vamos fazer um trato de nunca mais tocarmos no assunto?

2
EM BUSCA DO SR. HYDE

NAQUELA NOITE, UTTERSON VOLTOU preocupado para casa. Todo domingo, depois de jantar, ele costumava sentar-se diante da lareira com um livro de teologia e por ali ficava, lendo até a hora de dormir. Dessa vez foi diferente: dirigiu-se, ansioso, para o escritório e abriu o cofre, de onde tirou um envelope escrito: "Testamento do dr. Jekyll".

Com a testa franzida, examinou mais uma vez os estranhos dizeres daquele testamento. O texto, escrito a mão pelo próprio dr. Jekyll, estabelecia que, em caso de sua morte, todos os seus bens deveriam ser transferidos para seu "amigo e benfeitor Edward Hyde". O mesmo valia para o caso de um "desaparecimento inexplicável" do dr. Jekyll por mais de três meses.

Aquele documento sempre deixara o advogado com a pulga atrás da orelha. Como amante das leis e do bom senso, não via nenhuma lógica na decisão do dr. Jekyll. Especialmente porque não fazia ideia de quem fosse o tal sr. Hyde. "Achei que meu amigo Jekyll estivesse maluco", resmungou Utterson, angustiado. "Mas agora estou pressentindo uma desgraça muito maior..."

Bastante intrigado, Utterson dirigiu-se imediatamente a Cavendish Square, onde morava o dr. Lanyon, médico ilustre e velho amigo de Jekyll. O mordomo o conduziu diretamente à sala de jantar, onde Lanyon bebericava uma taça de vinho. Ao vê-lo, o médico se levantou num pulo, sacudindo as duas mãos. Era um cavalheiro simpático, bonachão, saudável, com bochechas rosadas e uma mecha precoce de cabelos brancos.

Falaram sobre amenidades, até que o advogado encaminhou a conversa para o motivo da visita:

— Imagino, meu caro Lanyon, que nós dois sejamos os amigos mais antigos de Henry Jekyll, não é?

— Quem dera fôssemos os mais novos — brincou o dono da casa. — Pena que eu tenha visto Henry tão pouco ultimamente.

— É mesmo? — estranhou Utterson. — Achei que vocês dois tinham muitos interesses em comum.

— Pois é, mas há coisa de uns dez anos ele passou a se comportar de um jeito meio esquisito, e a defender umas ideias absurdas. Sem falar naquele palavreado estranho, tão pouco científico... Não há amizade que resista!

Utterson suspirou, aliviado. Ainda bem que se tratava apenas de uma divergência científica.

— Por acaso você conhece um protegido dele, um tal Hyde?

— Hyde? Nunca ouvi falar.

E foi tudo o que Utterson descobriu. Naquela noite, revirou-se para um lado e para o outro da cama, sem conseguir dormir, atormentado por tantas perguntas. Às seis da manhã, ele ainda estava remoendo a história. Até aquele dia, o estranho caso tinha incomodado apenas seu lado racional, mas agora escravizava também a sua imaginação. Quanto mais pensava, mais se repetiam em sua mente, como pinturas, as cenas descritas por Enfield: uma rua escura, um homem chegando com passos rápidos, a menina, a trombada, o monstro pisoteando a criança e fugindo. Ou então via um quarto elegante, onde seu amigo Jekyll sonhava tranquilo. De repente, a porta se abria, as cortinas esvoaçavam e pronto: o médico era despertado por aquele canalha, que o obrigava a atender um pedido absurdo.

Quando conseguia cochilar, Utterson via em sonho a mesma figura sinistra, ziguezagueando pelas ruas e esmagando uma criança a cada esquina. Em sua mente, foi crescendo uma curiosidade avassaladora de conhecer as feições do sr. Hyde. Tinha a impressão de que, se pusesse os olhos no sujeito pelo menos uma vez, conseguiria desvendar o mistério. Só assim poderia entender a estranha amizade (ou servidão) que seu amigo Jekyll tinha com o tal Hyde, a ponto de incluir no testamento aquelas cláusulas tão inusitadas.

A partir de então, Utterson começou a vigiar a porta misteriosa. Passava por ali várias vezes por dia: bem cedinho, antes de o comércio abrir, ao meio-dia, quando havia muito movimento, e às vezes até mesmo à noite, em meio à neblina enluarada. Até que, finalmente, sua paciência foi compensada.

Era uma noite gelada e sem vento, as chamas dos postes traçavam no chão desenhos exatos de luz e sombra. O pátio estava vazio e silencioso, ao contrário do burburinho que vinha do outro lado da cidade. Qualquer chiado ecoava longe e os passos antecipavam a chegada dos transeuntes. Por isso se espantou quando ouviu o barulho de uma pessoa já muito próxima e tratou de se esconder na entrada do pátio.

Quando os passos dobraram a esquina, o advogado pôde finalmente ver o tipo: era baixinho e vestia roupas discretas, mas, mesmo a distância, provocava uma estranha repulsa. Ao se aproximar da porta, pegou do bolso uma chave, mecanicamente, como quem chega em casa.

Utterson saiu das sombras e o cutucou no ombro:

— Sr. Hyde, imagino...

Hyde se encolheu para trás, ofegante, e respondeu sem levantar o rosto:

— Sim, é o meu nome. O que o senhor deseja?

— Eu me chamo Utterson, sou um velho amigo do dr. Jekyll. Você já deve ter ouvido falar de mim. Já que tive a sorte de encontrá-lo, quem sabe o senhor me convida para entrar?

— O doutor não está — Hyde respondeu seco, girando a chave na fechadura. E emendou: — Como é que o senhor me conhece?

Utterson fez que não ouviu a pergunta:

— Então o senhor pode me fazer um favor?

— Pois não — o outro respondeu. — Que favor?

— Eu gostaria de ver o seu rosto.

Hyde hesitou um instante, depois encarou o advogado com ar desafiador. Passados alguns segundos, Utterson abriu um sorriso:

— De uma próxima vez, eu poderei reconhecê-lo. Vai ser útil para mim.

— Estou de acordo — comentou Hyde. — Aliás, é melhor que o senhor tenha também o meu endereço. — Anotou o nome de uma rua no bairro do Soho, depois insistiu na pergunta: — E, então, vai contar como me conheceu?

— Pela descrição.

— De quem?

— Temos amigos em comum.

— Amigos em comum? — repetiu Hyde, meio irritado. — Não imagino quem sejam...

— O próprio Jekyll, por exemplo.

— Ele nunca disse nada a meu respeito! — gritou Hyde, furioso. — Que mentira deslavada!

— Calma lá! — retrucou o advogado. — Isso são modos?

O outro soltou uma gargalhada selvagem e, num segundo, desapareceu porta adentro.

O advogado ficou ali parado, atônito. Hyde era baixote, branquelo e parecia ter alguma deformidade — mas qual? E o sorriso desagradável? E o olhar, que misturava timidez e arrogância? E a voz rouca, sussurrada? Tudo aquilo junto causava má impressão, mas era insuficiente para explicar a repulsa, o nojo e o medo que estava sentindo naquele momento.

— Deve haver mais alguma coisa... — bufou, sozinho. — Mas como explicar? Que Deus me perdoe, o sujeito nem parece humano! Ah, meu caro Jekyll, tenho pena de você: esse seu novo amigo traz a assinatura do diabo estampada no rosto!

Virando a esquina, Utterson chegou a uma praça de construções bonitas, mas já um pouco decadentes. Somente uma das casas guardava um ar de riqueza e conforto, mesmo no escuro, como naquele momento. O advogado bateu à porta e foi atendido por um mordomo bem-vestido.

— O dr. Jekyll está em casa, Poole?

— Vou verificar, sr. Utterson — respondeu o mordomo, levando o advogado ao amplo *hall* de entrada, decorado com caros móveis de carvalho e aquecido por uma lareira. — O senhor quer esperar junto ao fogo ou prefere passar para a sala de jantar?

— Aqui mesmo. Obrigado.

Aquele cômodo era a extravagância predileta do dr. Jekyll, e Utterson sempre se referia a ele como a sala mais aconchegante de Londres. Mas agora não estava nem um pouco à vontade. A lembrança do rosto de Hyde lhe provocava náuseas. Quando Poole voltou, Utterson sentiu-se aliviado.

— O patrão saiu — anunciou o mordomo.

— Eu vi o sr. Hyde entrar nesta casa pela porta dos fundos. Isso é normal, quando Jekyll não está?

— É sim, sr. Utterson. O sr. Hyde tem uma chave.

— O seu patrão parece confiar muito naquele jovem, não é? — brincou o advogado.

— O senhor tem toda a razão. Nós todos temos ordens expressas para obedecer ao sr. Hyde.

— Será que eu já o encontrei aqui?

— Oh, isso não. O sr. Hyde nunca fica para jantar. Na verdade, nós quase nunca o vemos, pois ele entra e sai pela porta dos fundos.

Utterson foi para casa com o coração ainda mais apertado do que antes. "Pobre Jekyll, certamente está pagando pelas loucuras da juventude. Algum pecado antigo, uma desgraça mal enterrada, retorna agora para exigir a punição. Já se passou muito tempo, mas pela lei de Deus esses atos não prescrevem", pensou.

Assustado por tal pensamento, Utterson vasculhou a memória em busca de algum deslize em seu próprio passado. Mas não: sua biografia era limpa e inatacável. Ainda assim sentia-se humilhado pelos poucos erros cometidos e mesmo pelos que soube evitar.

Foi nesse instante que lhe veio a ideia: Hyde deveria ter um passado nebuloso. Qualquer investigação certamente revelaria muitos segredos, e dos mais sombrios. Comparados a esses segredos, os do pobre Jekyll seriam claros como a luz do sol. As coisas não poderiam continuar como estavam. Não suportava mais imaginar aquela criatura se esgueirando pela cabeceira do amigo. Para não falar do perigo da situação! Se Hyde suspeitasse da existência do testamento, ficaria ansioso para receber logo a herança...

3
DR. JEKYLL BEM À VONTADE

DUAS SEMANAS DEPOIS, POR uma feliz coincidência, o dr. Jekyll ofereceu um de seus famosos jantares para cinco ou seis velhos amigos, todos inteligentes, respeitáveis e apreciadores de um bom vinho. Quando todos já estavam de saída, o sr. Utterson deu um jeito de ficar mais alguns instantes para conversar a sós com Jekyll, como costumava fazer.

Sentado de um lado da lareira, Utterson observou do lado oposto o anfitrião: um homem com seus cinquenta anos, alto, forte, cujo rosto suave — apesar de um pouco abatido — demonstrava uma sincera e calorosa afeição pelo velho camarada.

— Ando querendo conversar sobre aquele testamento, Jekyll.

O tema não agradou ao médico, mas ele respondeu com naturalidade:

— Ah, meu pobre Utterson, o que você fez para merecer um cliente como eu?

— Você sabe que eu nunca aprovei aquele testamento.

— Você deixou isso muito claro — retrucou Jekyll, com uma ponta de rispidez.

— E quero insistir — emendou o advogado. — Eu ando ouvindo algumas coisas sobre esse jovem Hyde.

O rosto grande e belo do médico perdeu a cor:

— Chega! Nós não concordamos em abandonar este assunto?

— Mas o que eu ouvi é abominável.

— Não tenho como mudar o testamento. Tente entender, cheguei a um ponto em que não posso resolver o problema...

— Você me conhece, Jekyll, e sabe que pode confiar em mim. Abra seu coração e o ajudarei a sair dessa enrascada.

— Meu bom Utterson, é muita bondade sua. Não há ninguém em quem eu confie mais neste mundo. Mas não é nada do que você está pensando, nem é nada tão sério assim. Dou minha palavra: posso me livrar do sr. Hyde na hora em que eu bem entender. Agradeço o seu apoio, mas repito: isso é um assunto particular, e peço que você o esqueça.

Utterson fitou o fogo em silêncio, até que concordou:

— Você está coberto de razão. — E se levantou para partir.

— Só quero que você entenda um detalhe — completou Jekyll. — Tenho um grande interesse no pobre Hyde. Sei que ele foi rude com você, ele mesmo me disse, mas eu gostaria que cuidasse dos direitos dele, caso algo me aconteça. Se você me prometer isso, vai tirar um grande peso das minhas costas.

— Só não me peça para gostar dele.

— Longe disso — falou o médico, segurando o braço do amigo. — Só estou pedindo justiça.

— Tudo bem, eu prometo.

4
O ASSASSINATO DE CAREW

QUASE UM ANO DEPOIS, um crime assustador sacudiu Londres, especialmente pela notoriedade da vítima: um membro do Parlamento. Os horrendos detalhes foram narrados por uma criada que morava perto do rio Tâmisa. Naquela noite ela subira ao quarto por volta das onze horas. Antes que a neblina tomasse conta da madrugada, a moça estava admirando romanticamente a vista da cidade, iluminada pela lua cheia. De repente, ela avistou, sob sua janela, um senhor idoso e elegante, que se aproximou de outro e lhe disse algo, com toda a educação.

Quando reparou no outro homem, a moça reconheceu o sr. Hyde, um tal que tinha visitado seu patrão algum tempo antes, e por quem ela criara uma aversão imediata e inexplicável. Pois bem: Hyde caminhava apressado, girando na mão uma bengala pesada, e mal parou para responder. Pior que isso: teve um súbito acesso de raiva, batendo os pés no chão e sacudindo a bengala no ar feito um maluco. O ancião deu um passo para trás, com ar de espanto e decepção. Isso bastou para descontrolar o sr. Hyde, que partiu para cima do outro. A golpes de bengala, derrubou o ancião e o pisoteou como um macaco enfurecido. Lá do alto, a moça ouviu os ossos da vítima se partindo, então caiu desmaiada ao chão.

Quando acordou, às duas da manhã, chamou a polícia. O assassino já estava longe, mas deixara para trás um pedaço da bengala, que, apesar da madeira resistente, tinha se quebrado ao meio com a violência dos golpes. A outra metade, sem dúvida, havia sido levada pelo criminoso. Nos bolsos da vítima, foram encontrados um relógio de ouro e um envelope lacrado, endereçado ao sr. Utterson.

Na manhã seguinte, a polícia procurou o advogado, que ainda estava na cama. Tão logo se deu conta das circunstâncias do crime, apertou os lábios:

— Não direi nada antes de ver o corpo. Pode ser coisa muito grave.

Chegando à delegacia, ele reconheceu o corpo.

— Lamento dizer que a vítima é *Sir* Danvers Carew.

— Meu Deus! Será possível? — gritou o policial, com os olhos brilhando. — Isso vai causar um rebuliço na cidade! Talvez o senhor possa nos ajudar a encontrar o criminoso.

E repetiu a descrição feita pela criada. Utterson tremeu ao ouvir o nome Hyde e não teve mais dúvidas quando viu a bengala partida: era a mesma que ele próprio dera de presente ao dr. Jekyll, alguns anos antes.

— Acho que posso levá-los até a casa desse senhor.

Já eram nove da manhã e o primeiro nevoeiro da estação ainda pairava no ar. O miserável bairro do Soho, com suas ruas enlameadas, lampiões esquecidos e pedestres mal-vestidos, mais parecia um pesadelo. Várias crianças maltrapilhas se encolhiam no passeio e mulheres de todos os cantos do mundo se arrastavam em busca de um trago matinal. Pararam em frente à casa do sr. Hyde.

Uma mulher grisalha e muito pálida os recebeu com um olhar perverso, um pouco suavizado pela malícia.

— Sim, aqui é a casa do sr. Hyde, mas ele não está. Chegou muito tarde e saiu logo em seguida.

Não havia nada de incomum naquilo, ela explicou, pois Hyde era um sujeito de hábitos irregulares. Passava meses sem aparecer por ali.

— Muito bem. Então queremos examinar a casa — pediu o advogado. — Este aqui é o inspetor Newcomen, da Scotland Yard.

Um brilho de alegria e ódio surgiu no rosto da criada:

— Eu sabia que ele ia acabar se metendo em encrenca!

O advogado e o inspetor se entreolharam:

— Pelo jeito o rapaz não é muito popular — disse o policial.

Da casa inteira, somente dois cômodos eram utilizados, e estes estavam finamente decorados: um armário repleto de vinhos, uma cristaleira com baixela de prata, um belo quadro na parede, presenteado (supôs Utterson) pelo dr. Jekyll, grande conhecedor das artes.

Mas naquele momento a casa estava de pernas para o ar: roupas jogadas pelo chão, com os bolsos revirados, gavetas entreabertas e, na lareira, uma pilha de papéis recém-queimados. O inspetor conseguiu retirar das cinzas o canhoto de um talão de cheques e em seguida encontrou, atrás da porta, a outra metade da bengala. Com isso, deu-se por satisfeito.

— Este já está no papo — garantiu. — Imagino que o dinheiro seja tudo para esse homem. É só esperá-lo no banco e, mais cedo ou mais tarde, ele vai aparecer.

Mas a tarefa não foi tão fácil assim. Hyde não tinha amigos, sua família era desconhecida, nunca fora fotografado e cada pessoa o descrevia de forma um pouco diferente. Só havia um ponto em comum nas descrições: a sensação indefinida de deformidade com a qual ele assombrava a todos.

5
O EPISÓDIO DA CARTA

JÁ ERA QUASE NOITE quando Utterson pôde ir à casa do dr. Jekyll. Foi recebido por Poole e levado imediatamente até o local de trabalho do médico. Como nunca tinha entrado naquela parte da casa, observou com curiosidade o laboratório úmido e sem janelas, repleto de aparatos químicos. Ao fundo, uma pequena escada levava a uma porta coberta de feltro vermelho, atrás da qual, finalmente, chegou ao gabinete do amigo, um cômodo amplo, com vários armários de portas de vidro, além de uma escrivaninha e um grande espelho. A lareira estava acesa, assim como um lampião, ao lado do qual se encontrava o dr. Jekyll, aparentando uma doença mortal. Ele nem se levantou, apenas estendeu a mão fria e, com a voz alterada, cumprimentou o amigo.

— Já ouviu as notícias? — perguntou Utterson.

— Estão gritando pelas ruas — Jekyll respondeu, trêmulo. — Ouvi pela janela.

— Como você foi maluco de esconder esse sujeito?

— Utterson, eu juro... — começou o médico. — Juro por Deus que nunca mais vou pôr os olhos nele. Dou minha palavra de honra. E, para dizer a verdade, ele também não quer a minha ajuda. Mas pode registrar minhas palavras: nunca mais se ouvirá falar do sr. Hyde!

O advogado não estava gostando daquele tom inflamado.

— Espero que você tenha razão, para o seu próprio bem. Se o caso for a julgamento, o seu nome poderá aparecer.

— Tenho certeza. Mas preciso de um conselho seu. Recebi uma carta, e não sei se devo mostrá-la à polícia. Gostaria de entregá-la a você, meu amigo, pois saberá o que fazer.

— Acha que ela pode levar à prisão de Hyde?

— Eu não dou a mínima para o Hyde. Para mim, ele acabou. Só estou pensando na minha própria reputação.

Utterson ficou surpreso, mas aliviado, com a atitude egoísta do amigo:

— Vamos, mostre a carta.

Escrita numa estranha letra inclinada para trás, e assinada por Edward Hyde, a carta dizia que o dr. Jekyll, cuja generosidade tinha sido tão mal retribuída pelo signatário, não precisava se preocupar com sua segurança, pois ele tinha meios seguros de escapar.

O advogado gostou do que leu, pois a carta traçava uma relação menos doentia entre os dois, e dissipava suas suspeitas anteriores.

— Posso levar a carta comigo, para pensar um pouco a respeito?

— Faça o que achar melhor. Eu perdi a confiança em mim mesmo.

— Mais uma pergunta: foi Hyde quem ditou os termos do seu testamento? Aquele trecho que fala do seu desaparecimento?

O médico arregalou os olhos e concordou com a cabeça.

— Eu sabia — disse Utterson. — A intenção dele era te matar. Por sorte, você escapou.

— Mais do que sorte, eu tive uma grande lição. Oh, meu Deus, você não imagina o que aprendi... — O médico cobriu o rosto com as mãos, envergonhado.

Utterson saiu de lá preocupado. Na rua, ouviu os jornaleiros berrando sobre a morte chocante do congressista e tremeu só de pensar que outro cavalheiro respeitável pudesse em breve estar nas manchetes. Precisava tomar uma decisão rápida e, para isso, pediu ajuda ao sr. Guest, seu escriturário-chefe.

Os dois se sentaram perto da lareira, diante de uma boa garrafa de vinho, que havia muito vinha sendo envelhecida no porão de Utterson. Do lado de fora, em meio à neblina que já escurecia o céu, a vida da cidade corria rápida e barulhenta feito uma ventania. A casa, por sua vez, estava clara e alegre, à luz do fogo. Na garrafa, os ácidos já tinham se dissolvido havia anos, e a cor imperial da bebida se suavizara. Tudo isso foi deixando o advogado mais relaxado, sem perceber. Não havia no mundo ninguém que conhecesse os seus segredos tão bem quanto o sr. Guest, talvez até bem demais. Além disso, o escriturário era especialista em grafologia e com certeza ficaria lisonjeado de ajudar a decifrar aquela caligrafia. Guest era incapaz de ler um documento sem dar algum palpite interessante sobre ele.

— Que barbaridade a morte de *Sir* Danvers! — Utterson puxou o assunto.

— Sem dúvida! Esse sr. Hyde só pode ser maluco.

— Eu tenho em mãos um documento escrito pelo tal — emendou Utterson. — Peço que isto fique entre nós, porque é um assunto delicado, para dizer o mínimo. Mas olhe só: eis a assinatura de um assassino!

Os olhos de Guest brilharam e ele examinou a carta com avidez.

— Parece que maluco ele não é. Mas a letra é esquisita.

No mesmo instante, um criado de Utterson entrou com um bilhete.

Guest espiou o bilhete e afirmou:

— É do dr. Jekyll, não é? Algo particular?

— Não, apenas um convite para jantar. Por quê?

— Eu gostaria de ver uma coisa.

Pôs os dois papéis lado a lado e analisou-os atentamente.

— Muito interessante... — comentou.

— Por que você comparou as duas letras, Guest? — Utterson perguntou, angustiado.

— Existe uma semelhança muito particular entre elas. São quase idênticas, só a inclinação é diferente.

— Muito estranho...

— Sem a menor dúvida.

Naquela noite, assim que trancou no cofre a carta de Hyde, Utterson sentiu o sangue correr frio em suas veias:

— Quem diria: Henry Jekyll falsificando uma carta para proteger um assassino...

6 O NOTÁVEL INCIDENTE DO DR. LANYON

O TEMPO PASSOU, UMA grande recompensa foi oferecida, mas o assassino de *Sir* Danvers sumiu do mapa sem deixar pistas. Era como se o sr. Hyde nunca tivesse existido.

Aos poucos, Utterson se recuperou de sua angústia e acabou concluindo que a morte de *Sir* Danvers tinha sido o preço a pagar pelo sumiço de Hyde. Longe da influência maligna do protegido, o dr. Jekyll começou vida nova: reencontrou os amigos e dedicou-se cada vez mais à caridade e à religião.

No dia 8 de janeiro, Utterson jantou na casa do médico. Lanyon também estava lá e os três pareciam o mesmo trio inseparável da juventude. Mas nos dias 12 e 14, o advogado não foi recebido por Jekyll.

— O patrão não quer sair de casa nem ver ninguém — explicou Poole.

No dia 15, o advogado tentou de novo e mais uma vez não pôde entrar. Preocupado, procurou Lanyon na noite seguinte, sem imaginar o que o esperava. Assim que entrou, ficou chocado com a aparência envelhecida do amigo. O rosto saudável ficara pálido, a pele estava opaca, a cabeça, mais calva. Pior que isso era seu olhar aterrorizado. A sentença de morte parecia escrita no rosto do amigo.

— Sou um homem condenado — disse Lanyon, confirmando as suspeitas do amigo. — Sofri um choque do qual nunca vou me recuperar. É questão de semanas.

— Jekyll também está doente — comentou Utterson. — Você o encontrou?

O rosto de Lanyon se transformou e suas mãos tremeram.

— Nunca mais quero ver Jekyll! — gritou. — Para mim ele morreu!

— Ora, o que é isso? — estranhou Utterson. — Somos três velhos companheiros...

— Sinto muito — retrucou Lanyon — Pergunte a ele!

— Mas ele não quer me receber...

— Já era de se esperar. Um dia, Utterson, depois que eu estiver morto, você poderá conhecer melhor essa história.

Chegando em casa, Utterson escreveu uma carta a Jekyll, reclamando por não ser recebido e perguntando sobre o fim da amizade com Lanyon. No dia seguinte, chegou uma longa resposta, escrita de forma ora patética, ora misteriosa. A briga com Lanyon era insuperável, explicou Jekyll. "Não culpo o nosso amigo, mas concordo com ele: nunca mais podemos nos encontrar. De agora em diante, a minha intenção é levar uma vida de reclusão absoluta. Criei para mim mesmo um destino e um perigo que nem eu posso explicar, portanto deixe-me seguir meu caminho sombrio. Sou o maior dos pecadores, e também o maior dos sofredores. Tudo o que peço, meu bom amigo, é que você respeite o meu silêncio."

Utterson ficou espantado com o texto. Longe da má influência de Hyde, o médico tinha retomado suas atividades normais e, até uma semana antes, parecia caminhar para uma velhice feliz e honrada. E agora essa mudança tão abrupta... Tudo parecia indicar loucura, mas, a julgar pelo estado e pelas palavras de Lanyon, as raízes eram muito mais profundas.

Dali a uma semana, Lanyon caiu de cama e, quinze dias depois, estava morto. Após o funeral, Utterson, muito abalado, trancou-se no escritório e abriu um envelope onde estava escrito: "PARTICULAR: deve ser lido exclusivamente por G. J. Utterson após a minha morte".

O advogado estava receoso: "Já enterrei um amigo hoje, e este envelope pode me custar mais um". Porém não o abrir seria uma deslealdade com Lanyon. Rompeu o lacre, só para encontrar outro envelope selado, onde leu: "Não ler antes da morte ou desaparecimento do dr. Henry Jekyll". O advogado mal acreditava em seus olhos. Mais uma vez aquela palavra: desaparecimento. No testamento a palavra era sugestão do sinistro Hyde e tinha um claro propósito, mas agora, na carta de Lanyon, o que isso poderia significar? Uma grande curiosidade tomou conta de Utterson e ele teve ganas de ignorar o pedido e abrir logo a segunda carta. Mas sua honra profissional e a fé no amigo falecido falaram mais alto, e o envelope voltou para o fundo do cofre.

Bem, conter a curiosidade é uma coisa. Outra coisa é superá-la. A partir daquele dia, Utterson ficou cada vez mais ansioso para encontrar Jekyll. Pensava no amigo com ternura, mas ao mesmo tempo com grande inquietação e medo. Chegou a procurá-lo, mas não foi recebido. No fundo, Utterson até preferia conversar com Poole, à porta da casa, cercado pelo ar e pelos ruídos da cidade, do que ser recebido naquele lugar onde seu amigo se trancava por vontade própria, escravo de si mesmo.

Poole tinha poucas notícias: o doutor estava cada vez mais enclausurado no laboratório, onde chegava a dormir alguns dias. Vivia desanimado, calado, não lia, não fazia nada.

7
ENCONTRO À BEIRA DA JANELA

NO DOMINGO SEGUINTE, EM sua caminhada com o primo, Utterson foi dar novamente naquela ruela. Quando chegaram diante da porta, Enfield comentou:

— Pelo menos essa história acabou de vez. Nunca mais vamos ouvir falar do tal Hyde.

— Tomara — respondeu Utterson. — Sabia que topei com ele um dia, e tive a mesma sensação de repulsa?

— Não tinha como ser diferente. E, por falar nisso, você deve ter me achado um idiota por não perceber que essa era a porta dos fundos do dr. Jekyll.

Utterson deu um sorriso e convidou o amigo a entrar no pátio para observar as janelas. O local estava muito frio e úmido, e já começava a escurecer. A janela do meio estava entreaberta e sentado junto a ela, com um ar de infinita tristeza, feito um prisioneiro desconsolado, Utterson viu o médico.

— Ei, Jekyll! — chamou. — Você está melhor?

— Estou muito mal, Utterson. Não vou durar muito, graças a Deus.

— Você fica muito em casa. Devia sair mais, circular um pouco, como eu e o meu primo Enfield. Pegue seu chapéu e desça para uma voltinha...

— Você é muito gentil — suspirou o outro. — Eu bem que gostaria, mas não, não, não, é totalmente impossível. Eu não teria coragem. Porém, pode acreditar, Utterson, foi um prazer vê-lo aqui. Se a casa estivesse arrumada, eu até convidaria os dois para subir, mas...

A frase ficou pela metade. De repente, o sorriso sumiu do rosto do médico, substituído por uma expressão de imenso terror e desespero, e a janela se fechou com um golpe violento. Assustados com o que viram naquele relance, Utterson e Enfield não ficaram mais um segundo ali. Só quando chegaram a uma rua mais movimentada, tiveram coragem de se olhar: ambos estavam pálidos, com olhos que se espelhavam em horror.

— Deus nos perdoe! Deus nos perdoe! — exclamou o advogado.

Enfield se limitou a balançar a cabeça, muito sério, sem dizer uma palavra.

8 A ÚLTIMA NOITE

JÁ ERA O MÊS de março quando Utterson recebeu a visita inesperada de Poole, à noite.

— Louvado seja, Poole! Por que esse olhar tão aflito? O doutor está mal?

— Sr. Utterson, alguma coisa está errada.

— Acalme-se, Poole. Tome um gole de vinho e explique o que houve.

— Há dias o doutor não sai do laboratório e eu... bem, senhor, eu estou com medo.

A aparência do mordomo reforçava suas palavras. Ele tremia muito e mal conseguia encarar o advogado.

— Ora, Poole, deve haver alguma razão para isso.

— Desconfio que estamos sendo enganados — soltou Poole.

— Como assim? O que você quer dizer com isso?

— Eu nem tenho coragem de dizer. O senhor poderia me acompanhar e ver com seus próprios olhos?

A resposta de Utterson foi imediata: levantou-se, pegou chapéu e casaco e abriu a porta, espantado com o ar de alívio do mordomo.

A noite estava fria, com uma lua pálida reclinada no céu, como se balançada pelo vento. A rua estava mais deserta do que de costume, para aflição do advogado, que nunca desejara tanto a companhia de outras pessoas. A premonição de uma calamidade crescia em sua mente. Quando chegaram à praça, diante da casa de Jekyll, a poeira tomava conta de tudo e o vento chicoteava os arbustos contra a cerca.

Poole parou em frente à porta, enxugou uma gota de suor frio e bateu de leve na porta.

— É você, Poole? — uma voz perguntou lá de dentro.

— Está tudo bem, pode abrir a porta.

No *hall*, em volta da lareira, estavam reunidos todos os criados do médico, como um rebanho de ovelhas.

— Graças a Deus, é o sr. Utterson — gritou a cozinheira, enquanto outra criada tinha uma crise de choro.

— Mas o que é isso? Estão todos aqui? — estranhou o advogado. — Muito inadequado. O patrão não vai gostar nem um pouco.

— Estão todos com medo — explicou Poole.

A criada não conseguia parar de chorar e Poole, fora de si, berrou para que ela calasse a boca.

— Vamos acabar logo com isso. Siga-me, por favor, sr. Utterson, sem fazer barulho. Eu quero que o senhor ouça, sem ser ouvido. E veja bem: se ele mandar que o senhor entre, não faça isso.

Utterson, muito assustado, seguiu o mordomo até o laboratório. Poole bateu com a mão insegura no feltro da porta do gabinete.

— É o sr. Utterson, patrão. Ele está aqui para vê-lo.

Uma voz respondeu em tom de queixa:

— Diga a ele que não posso ver ninguém.

— Obrigado, senhor — respondeu Poole, fazendo um gesto de triunfo. Depois acrescentou em voz baixa, olhando nos olhos do advogado: — Diga a verdade, senhor, aquela voz era do meu patrão?

— Parece muito mudada — respondeu o advogado, pálido, mas devolvendo o olhar firme.

— Pode ter certeza! Depois de vinte anos na casa desse homem, será que eu me enganaria a esse ponto? Sinto muito, sr. Utterson: o patrão não está mais aqui. Deram cabo dele há uma semana. Agora me diga: quem é que está lá dentro e por que diabos não sai de lá?

— Essa história é toda muito estranha, Poole — respondeu Utterson, roendo a unha. — Vamos supor que você esteja certo... e que o dr. Jekyll tenha sido... hummm, assassinado. O que levaria o assassino a continuar lá dentro? Não faz sentido.

— Vejo que o senhor não se contenta com pouco, mas eu posso continuar. Essa pessoa, ou coisa, que está lá dentro, passou a semana inteira gritando noite e dia por uma tal droga que ninguém consegue encontrar. O patrão também costumava encomendar algumas drogas. Escrevia num papel e jogava pela escada. Mas agora é o tempo todo, duas ou três vezes por dia. Eu já fui enviado a todos os revendedores de produtos químicos, mas, cada vez que eu trago a encomenda, ele escreve um bilhete dizendo que o produto não é puro e pede que eu o procure em outro lugar. Ele precisa muito dessa droga, senhor, seja lá para o que for.

— Você tem aí algum desses bilhetes?

Poole revirou o bolso e pegou um papel amassado, que o advogado aproximou da luz, para examinar melhor. O texto dizia o seguinte:

O dr. Jekyll cumprimenta o sr. Maw. Ele assegura que a última amostra enviada estava impura e imprestável para o fim desejado. Há alguns anos, o doutor comprou nesta loja uma grande quantidade do produto e agora implora para que os senhores vasculhem o estoque em busca de qualquer porção daquele lote, por menor que seja. Dinheiro não é problema, pois é impossível explicar a urgência do material para o doutor.

Até esse ponto a letra seguia razoavelmente equilibrada, mas a partir daí havia um borrão de tinta e em seguida um apelo desesperado: "Pelo amor de Deus!".

— Que bilhete estranho! — comentou o advogado. — Por que está aberto?

— O sr. Maw ficou furioso e atirou o bilhete em cima de mim.

— Esta letra é, sem dúvida, de Jekyll.

— Também acho, senhor, mas de que adianta a letra se eu vi a criatura que a escreveu?

— Você viu?

— Sim, senhor! Entrei sem avisar no laboratório e ele tinha saído do gabinete, para ver se a encomenda tinha chegado. Quando me viu, ele ergueu a cabeça, soltou uma espécie de guincho e disparou de volta para o gabinete. Só o vi de relance, mas bastou pra me deixar de cabelo em pé. Se aquilo era o meu patrão, porque tinha uma máscara no rosto? Por que guinchou feito um rato e fugiu de mim? E tem mais...

O homem não conseguiu continuar.

— Realmente, Poole, as circunstâncias são muito estranhas — comentou Utterson. — Mas acho que tudo começa a ficar mais claro. Seu patrão contraiu uma dessas doenças que torturam e deformam a vítima. Daí a mudança na voz, daí a máscara e o afastamento dos amigos, daí o desespero pelo remédio, que é sua última esperança. É muito triste, meu caro, mas é uma explicação coerente e evita maiores alarmes.

— Senhor, aquela coisa não era o meu patrão — insistiu o mordomo, branco feito cera. — O doutor é alto e forte e este estava mais para um anão.

Utterson tentou protestar, mas Poole continuou, aos gritos:

— O senhor acha que eu não sei a altura do patrão em relação à porta, onde o vi entrar quase todos os dias da minha vida? Nada disso! Aquele bicho mascarado não é nem nunca foi o dr. Jekyll. Deus me perdoe, mas desconfio que houve um assassinato.

— Diante do que você está dizendo, Poole, eu tenho o dever de verificar. Por mais que eu queira preservar o seu patrão, é minha obrigação arrombar aquela porta.

— É assim que se fala! — aplaudiu o mordomo.

— Agora vem a questão: quem vai cuidar disso?

— Nós dois, ora!

— Está muito bem, Poole. E eu garanto que, aconteça o que acontecer, você não será prejudicado. Mas saiba, Poole, que vamos nos colocar em posição de grande perigo.

— Não tenho dúvida, senhor.

— Então devemos ser francos: nenhum de nós falou tudo o que está pensando. Diga de peito aberto: você reconheceu o tal mascarado?

— Bem, foi tudo muito rápido, eu não poderia jurar, mas se o senhor quer saber se era o sr. Hyde, sim, acho que era ele. Era do mesmo tamanho, e se movia do mesmo jeito agitado. Além do mais, que outra pessoa teria a chave? Não tenho prova nenhuma, somente uma sensação. Mas dou minha palavra de honra.

— O mal sempre rondou aquela amizade, Poole. Infelizmente eu também acredito que meu pobre amigo está morto, e que o criminoso está escondido ali. Chegou a hora da vingança.

Nuvens compridas escondiam a lua e o breu tomara conta do lugar. O vento sacudia a luz da vela de um lado para o outro. Uma Londres solene zumbia ao longe, mas ali o silêncio só era quebrado por passos nervosos que vinham de dentro do gabinete.

— Ele não para de andar, dia e noite — explicou Poole. — A não ser quando chega uma nova amostra. Escute e me diga, senhor: esses passos parecem do doutor?

Realmente eram mais leves e tinham um ritmo diferente, notou o advogado.

— Você tem algo mais a me contar? — perguntou.

— Bem... — hesitou Poole — uma vez eu o ouvi chorando.

— Como é? — Utterson sentiu um arrepio na consciência.

— Isso mesmo. Chorando feito uma mulher, ou uma alma perdida. Era tão sentido que quase chorei também.

Utterson deu um suspiro, desolado, mas não podia mais esperar. Poole pegou um machado e os dois se aproximaram da porta, ofegantes. Do outro lado, os passos não paravam.

— Jekyll! — gritou o advogado. — Exijo vê-lo agora. Temos fortes suspeitas... precisamos vê-lo por bem ou por mal!

— Utterson — respondeu a voz. — Tenha piedade!

— Essa voz não é de Jekyll, é de Hyde! Derrube a porta, Poole!

O mordomo golpeou com tanta força que o prédio sacudiu inteiro. As dobradiças bambearam, mas resistiram. Um guincho acuado veio lá de dentro. Veio o segundo golpe, o terceiro e o quarto, rachando a porta. Mas a madeira era forte e os metais bem forjados. Só a quinta pancada estourou a fechadura e arremessou a porta sobre o carpete.

Os invasores, perplexos com a própria fúria e com o silêncio que vinha lá de dentro, recuaram um passo e espiaram o gabinete. Um lampião brilhava tranquilo, a lareira esquentava o ambiente, uma chaleira repousava no canto, duas ou três gavetas entreabertas, papéis bem arrumados sobre a escrivaninha. Parecia o cômodo mais sossegado da noite londrina, a não ser pelas prateleiras repletas de produtos químicos.

Bem no meio do cômodo, o corpo de um homem, todo contorcido, dava suas últimas convulsões. Utterson e Poole se aproximaram na ponta dos pés e viram o rosto de Edward Hyde. Estava vestido em roupas grandes demais, que serviriam no médico. Os músculos do rosto ainda repuxavam, mas a vida já ia longe. Nas mãos do morto, um frasco quebrado exalava um forte cheiro de veneno. O advogado concluiu que acabava de testemunhar um suicídio.

— Chegamos tarde demais para salvar ou para punir — decretou. — Hyde já foi desta para melhor, só nos resta encontrar o corpo de Jekyll.

Vasculharam todos os cantos e armários do laboratório, além do sótão, mas não havia sinal do médico, vivo ou morto.

Poole bateu com os pés nas tábuas do corredor.

— Ele pode estar enterrado aqui debaixo.

— Ou pode ter fugido — emendou Utterson, aproximando-se da porta dos fundos.

Porém, a porta estava trancada e logo ao lado avistaram a chave, toda quebrada e enferrujada. Os dois se entreolharam, sem entender a situação, e retornaram ao gabinete. Ali encontraram restos de produtos químicos, diversas porções de um pó branco, prontos para serem usados pelo infeliz em algum experimento.

— É esse produto que eu sempre trazia para ele — garantiu Poole.

Sobre a escrivaninha, viram um grande envelope fechado, com os dizeres: "Para o sr. Utterson". O advogado o abriu e várias folhas caíram pelo chão. A primeira era um testamento, feito nos mesmos termos excêntricos do anterior. Mas agora dizia que, em caso de morte ou desaparecimento do dr. Jekyll, todos os seus bens iriam para Gabriel John Utterson. Tomado de espanto, o advogado olhou para Poole, depois de novo para o papel, e finalmente para o malfeitor, estirado no tapete.

— Minha cabeça está rodando — disse. — O testamento ficou todos esses dias na mão de Hyde. Não entendo por que ele não o destruiu.

Pegou outro papel caído ao chão. Era um bilhete escrito naquele mesmo dia, e assinado pelo médico.

— Veja, Poole! — exclamou Utterson. — Jekyll esteve aqui hoje. Não pode ter sido escondido tão depressa, deve estar vivo ainda, deve ter fugido! Mas como e por quê? Ah, devemos ter muito cuidado, para não envolver o nome do seu patrão numa catástrofe maior ainda.

— Não vai ler o bilhete, senhor?

— Estou com medo, Poole. Deus queira que eu esteja enganado.

Aproximou a folha da luz e leu:

Prezado Utterson,

Quando este bilhete chegar a suas mãos, eu já terei desaparecido. Não posso prever as circunstâncias do meu sumiço, mas ele está muito próximo. É o que diz o meu instinto. Sei que Lanyon lhe entregou uma carta para ser lida após a minha morte. Peço que a leia antes de tudo e, em seguida, se quiser ouvir o meu lado, leia a confissão deste seu desprezível e miserável amigo, Henry Jekyll.

— Há mais algum papel? — Utterson quis saber.

— Tome aqui, senhor. — Poole entregou-lhe um pacote pesado.

— Eu não diria nada sobre estes documentos — pediu Utterson, guardando o pacote. — Se o seu patrão fugiu ou morreu, devemos no mínimo zelar por sua reputação. Agora vou para casa ler tudo isto em paz. Voltarei o mais rápido possível e somente então chamaremos a polícia.

9
O RELATO DO DR. LANYON

NO DIA 9 DE janeiro, quatro dias atrás, recebi um envelope registrado do meu colega e velho amigo de escola Henry Jekyll. Fiquei surpreso, pois eu tinha jantado na casa dele no dia anterior, e não entendi o motivo de tanta formalidade. A carta, que muito me assustou, dizia o seguinte:

"Prezado Lanyon,

Você é um dos meus amigos mais antigos e, apesar de termos divergido em algumas questões científicas, nada diminuiu nossa amizade, pelo menos da minha parte. Se algum dia você me dissesse: 'Jekyll, minha vida e minha honra dependem de você', eu daria um braço para ajudá-lo. Agora, Lanyon, eu digo que minha vida, minha honra e minha razão estão em suas mãos. Se você me faltar esta noite, estou perdido.

Depois desse início, pode achar que vou pedir algo vergonhoso, mas não cabe a mim julgar.

Peço que adie qualquer compromisso para esta noite, por mais importante que seja. Dirija-se então à minha casa, com esta carta em mãos. O meu mordomo, Poole, vai estar esperando, ao lado de um chaveiro. Quando ele conseguir abrir a porta do meu gabinete, você deverá entrar sozinho, abrir o armário marcado com a letra "E", quebrando o cadeado, se preciso. Então pegará a quarta gaveta, de cima para baixo, com todo o seu conteúdo. Como estou muito perturbado, posso estar me confundindo quanto à posição da gaveta, mas você certamente a encontrará: é a que tem alguns pacotinhos com pó, um frasco e um bloco de anotações. Imploro que leve essa gaveta intacta à sua casa.

Esta é a primeira parte do grande favor que lhe peço. Passemos à segunda. Se você sair de casa assim que receber esta carta, calculo que esteja de volta com a gaveta bem antes da meia-noite. Mas deixarei uma margem de folga, caso surja um imprevisto. O passo seguinte deve ser dado depois que seus criados estiverem dormindo. Assim sendo, à meia-noite eu peço que você esteja sozinho para receber um homem que vai se apresentar em meu nome. Peço que entregue a ele a gaveta. Cinco minutos depois, você entenderá por que estes procedimentos são tão importantes e como qualquer falha, por mínima que fosse, o tornaria culpado por minha morte ou loucura.

Tenho confiança de que você não vai ignorar meu apelo, mas meu coração dispara só de pensar nessa possibilidade. Ajude-me, querido Lanyon, salve o seu amigo.

H. J."

Ao ler a carta, tive certeza de que meu colega tinha enlouquecido. Mas não havia como negar o seu pedido. Segui à risca suas instruções e, como cheguei em casa bem antes da meia-noite, comecei a examinar o conteúdo da gaveta. Os pós estavam razoavelmente embalados, mas sem a precisão de um farmacêutico, mostrando que o próprio Jekyll tinha preparado as porções. Parecia um sal esbranquiçado, comum. Olhei em seguida para o frasco que estava preenchido até a metade com um líquido vermelho-sangue, de cheiro pungente. Parecia conter fósforo, um pouco de éter e outros componentes que não consegui identificar. No bloco estavam anotadas várias datas, que paravam abruptamente cerca de um ano atrás. Em algumas datas surgia a palavra "duplo" e uma única vez, logo no início, a expressão "fracasso total!!!".

Tudo isso me atiçou a curiosidade, mas não esclarecia nada. Pareciam registros de experiências sem nenhum resultado prático, como era de esperar, em se tratando de Jekyll. Eu não conseguia entender como a presença daqueles artigos em minha casa podiam afetar a honra ou a vida do meu excêntrico colega. Se o tal enviado podia vir até aqui, por que não a outro lugar? E por que era preciso tanto segredo? Quanto mais eu pensava no assunto, mais concluía que era um caso de loucura. Por isso, após dispensar meus criados, carreguei um velho revólver, para me precaver.

Mal o relógio marcava zero hora quando bateram de leve à minha porta. Ao abrir, dei de cara com um sujeito baixote.

— O senhor vem da parte do dr. Jekyll?

Ele confirmou com um gesto curto e, antes de entrar, olhou para trás e espiou a escuridão da praça. Havia um policial por perto, de lanterna acesa, o que fez meu visitante entrar apressado.

Confesso que tudo isso me causou uma sensação desagradável, e o tempo todo mantive a mão junto da arma. Só quando entramos em meu consultório, bem iluminado, é que pude ver melhor o sujeito. Seu rosto, com estrutura frágil e músculos que não paravam quietos, tinha algo de perturbador, mas eu não conseguia explicar o que era.

Ele estava vestido de uma maneira que, em outra pessoa, seria engraçada: as roupas, embora de tecidos finos, eram absurdamente largas para ele. A calça teve que ser dobrada várias vezes para não arrastar no chão, a cintura do casaco batia quase no joelho e o colarinho se espalhava pelos ombros. Mas esse figurino exótico não me pareceu nada divertido. Pelo contrário: era algo anormal e suspeito, reforçando a própria essência envolvente e revoltante daquela criatura. Se eu já estava curioso para entender a natureza e o caráter do sujeito, passei então a imaginar sua origem, sua vida e sua posição social. Tudo isso, é claro, passou por minha cabeça em poucos segundos, pois ele nem me deu tempo para pensar.

— Você conseguiu? — Ele me cutucou, impaciente. — Está tudo aí?

Eu o afastei, pois o mero contato com ele me deu calafrios.

— Calma, senhor. Eu ainda não tive o prazer de conhecê-lo. Sente-se, por favor.

Eu próprio tomei minha poltrona, exatamente como faria com um paciente qualquer, esforçando-me para não revelar meu desconforto com a hora, as circunstâncias e o horror que aquele ser me provocava.

— Peço desculpas, dr. Lanyon — ele tentou ser educado. — O senhor tem toda a razão. A minha impaciência prejudicou meus modos. Estou aqui a pedido de seu colega, dr. Jekyll, para tratar de um assunto urgente. Acredito que...

Nesse momento, ele levou a mão à garganta, mostrando que, apesar do esforço para se conter, estava à beira de um colapso.

— Acredito que uma gaveta...

Foi quando fiquei com pena de sua ansiedade e, talvez, da minha curiosidade.

— Está ali, senhor. — Apontei para a gaveta, ao chão, coberta por um pano.

Ele se jogou em direção a ela, depois parou e levou a mão ao coração. Seus dentes rangiam freneticamente, tinha o rosto tão branco que fiquei com medo de ele morrer ali na minha frente.

— Componha-se! — falei.

Ele me lançou um sorriso maligno e jogou o pano para longe. Ao ver o conteúdo da gaveta, deu um urro de alívio que me deixou congelado. A seguir, com a voz quase sob controle, ele me pediu uma proveta. Receoso, entreguei o que me solicitava. Ele agradeceu com a cabeça, mediu um pouco do líquido vermelho e adicionou o pó. A mistura começou a borbulhar e a soltar fumaça. De avermelhada ficou roxa e terminou num tom esverdeado. Meu visitante, que tinha acompanhado tudo muito atento, sorriu e me olhou com ar misterioso.

— Agora chegamos ao que importa. O senhor será prudente? Ou vai arriscar? Vai me deixar beber esta poção e ir embora de sua casa sem maiores explicações? Ou a curiosidade já tomou conta da sua mente? Pense bem antes de responder, pois a decisão é sua. Dependendo da escolha, o senhor poderá permanecer como sempre foi, nem mais rico, nem mais sábio. Ou então pode se aventurar por um novo reino do conhecimento, com novos caminhos para a riqueza e a fama. O que o senhor vai ver abalará sua descrença no demônio.

— Meu senhor, seus enigmas não me parecem nada convincentes — comentei, num tom falsamente calmo. — Mas já cheguei longe demais nesta história para interrompê-la antes do fim.

— Que assim seja. Mas lembre-se, Lanyon, do seu juramento de médico. Tudo o que acontecer aqui está protegido pelo sigilo profissional. Você, que sempre teve uma visão estreita e materialista, que sempre desprezou as virtudes da medicina transcendental, preste atenção!

E bebeu tudo de um gole. Em seguida deu um grito, tremeu, cambaleou, agarrou-se à mesa, com os olhos vidrados e a garganta ofegante. Diante dos meus olhos começou uma metamorfose: ele pareceu inchar, seu rosto escureceu, suas feições se alteraram e, quando dei por mim, estava de pé contra a parede, horrorizado, tentando me proteger daquele feitiço.

— Meu Deus! Meu Deus! — Era tudo o que eu conseguia gritar.

Pois o ser pálido e trêmulo que eu via à minha frente era Henry Jekyll!

O que ele me contou na hora seguinte eu não conseguiria repetir no papel. Vi o que vi, ouvi o que ouvi, e minha alma se destruiu. Até agora não sei se acredito naquilo. Só sei que a minha vida foi abalada em sua raiz; não consigo mais dormir, um terror profundo me acompanha a cada instante. Sinto que meus dias estão contados, mas vou morrer incrédulo.

A torpeza moral que esse homem revelou, embora regada por lágrimas de arrependimento, é tamanha que eu nem consigo mais escrever. Portanto, vou dizer só mais uma coisa, meu caro Utterson, e acredito que seja o suficiente. O próprio Jekyll confessou que a criatura que veio à minha casa naquela noite era o sr. Hyde, caçado em todo o país pelo assassinato de Carew.

Hastie Lanyon

10
O DEPOIMENTO DE HENRY JEKYLL

NASCI NUMA FAMÍLIA MUITO rica e influente. Herdei também a vocação para o trabalho duro e a vontade de ser admirado pela sociedade. Com tudo isso, eu parecia destinado a um futuro honrado e ilustre.

Na verdade, meu maior defeito era meu gênio irreverente e indomável, que para muitos seria bem-vindo, mas que não combinava com a imagem séria e respeitosa que eu desejava exibir. Por isso, acabei sufocando os meus prazeres. Quando cheguei à maturidade e parei para fazer um balanço da minha vida e da minha carreira, percebi que já estava condenado a levar uma vida dupla. Meus pequenos vícios, que para outros homens poderiam ser até motivo de orgulho, em mim provocavam uma vergonha quase mórbida.

Assim, estabeleci para mim mesmo padrões de comportamento tão rígidos que acabei criando uma trincheira profunda entre o meu lado bom e *meu lado mau, integrantes da natureza dual de todo homem. Desde jovem refleti obsessivamente sobre essa dura lei, que é a raiz de toda religião e de toda aflição humana. Virei uma pessoa de duas caras, mas nem por isso um hipócrita. Sim, porque ambos os meus lados eram profundamente verdadeiros. Quando eu abria mão da sensatez e mergulhava no pecado, eu era tão autêntico quanto nas horas em que me punha a trabalhar em prol da sabedoria e da cura.*

Paralelamente, meus estudos se direcionaram para a medicina mística e transcendental, e isso acabou por refletir e reforçar o meu dilema. A cada dia, tanto o meu lado intelectual quanto o meu lado moral apontavam para a mesma trágica conclusão: o homem não é um, e sim dois. E o dia a dia me mostrou como duas naturezas podem existir e duelar em uma mesma consciência. Quem dera — eu sonhava acordado — que esses genes tão opostos fizessem parte de identidades diferentes. Assim meu dilema estaria resolvido: o injusto tomaria seu rumo sem remorsos, enquanto seu gêmeo correto seguiria firme na trilha do bem, sem se expor às baixezas do outro. Mas como separá-los?

Eu estava nesse ponto de minhas reflexões quando uma luz começou a surgir, bem na mesa do meu laboratório. Certo dia, percebi que alguns agentes químicos são capazes de abalar e transformar esta nossa carcaça de carne e osso. Era apenas um primeiro passo, mas me deixou empolgado: uma droga capaz de isolar certos aspectos que dominavam o meu espírito e substituí-los por outros, muito diferentes, mas tão autênticos e naturais quanto os anteriores, pois representavam o lado baixo da minha alma.

Hesitei muito antes de passar da teoria à prática. Em se tratando de uma droga capaz de abalar o próprio corpo e a identidade humana, qualquer erro seria fatal. Mas uma descoberta tão inédita e profunda pôs por terra qualquer cautela. Então comprei, de um atacadista, uma grande quantidade de um certo sal, que era o último dos ingredientes de que precisava. Enfim, numa noite maldita, misturei os elementos e os deixei ferver. Quando a fumaça baixou, tomei coragem e bebi tudo de uma só vez.

Não há como explicar as dores que me atacaram: meus ossos pareciam triturados, meu estômago revirava, minha mente entrou em pânico. Logo em seguida, porém, fui tomado por uma doce sensação de juventude, leveza e felicidade. Sentia-me mais alerta, destemido e livre de qualquer regra. Desde o início tive a convicção de que o novo eu era dez vezes mais cruel e irresponsável do que o outro. Espantado com tanto vigor, estiquei os braços e descobri que eu tinha diminuído em tamanho.

A noite ia alta, todos os meus criados estavam dormindo e, como ainda não havia espelho no laboratório, arrisquei uma escapada até meu quarto. Fui me esgueirando junto às paredes, feito um estranho em minha própria casa. No quarto, finalmente, pude olhar para o rosto de Edward Hyde, a primeira criatura de sua espécie.

Por que motivo Hyde era mais jovem, mais ágil e menor do que Henry Jekyll? Não sei; posso apenas especular: acredito que, até aquele dia, o meu lado negativo teve poucas chances de se expressar, pois vivia controlado pelo lado bom; portanto, ele foi pouco exercitado e pouco gasto. Imagino, também, que o rosto deformado de Hyde espelhava o que havia nele de maldade e decadência. Mas, curiosamente, eu olhava para aquele monstro e não sentia nenhuma aversão. Pelo contrário: era um rosto bem-vindo, muito mais definido e sincero do que o semblante imperfeito e dividido do médico.

Fiquei ali, olhando para o espelho, ciente de que precisava testar a segunda parte da experiência. Era a hora de descobrir se tinha perdido minha identidade para sempre e precisaria fugir daquela casa antes de o sol raiar. Então voltei aflito ao laboratório, preparei de novo a poção e, depois do mesmo suplício de antes, retomei o tamanho, o rosto e o caráter de Henry Jekyll.

O que fazer em seguida? Eu estava numa encruzilhada fatal. A droga em si não era diabólica nem divina; simplesmente tinha o efeito de derrubar as fronteiras dentro do meu corpo. Mas naquele momento a minha virtude foi sufocada pela ambição. Encontrei em Edward Hyde a chance de me divertir, de realizar todos os meus desejos, enfim, de escapar daquela vida inteiramente dedicada aos estudos, à qual Henry Jekyll estava entregue. Para o médico, os prazeres da vida eram indignos e não combinavam com sua imagem perante a sociedade. Por isso, virei escravo da minha própria descoberta. Bastava beber a poção para me livrar do corpo do distinto professor e me transformar, feito mágica, em Edward Hyde.

Embora divertida, a situação pedia algumas precauções. Fiz uma descrição detalhada do sr. Hyde para os criados e avisei que ele teria total liberdade e plenos poderes em minha casa. Depois visitei a casa, na pele de Hyde, para que todos o conhecessem bem. Aluguei para ele uma casa no Soho, e contratei uma governanta discreta e inescrupulosa. Finalmente, fiz o testamento em seu favor. A partir de então, considerando-me bastante seguro, comecei a aproveitar das imunidades que a situação me garantia.

No passado, alguns homens contratavam pistoleiros para executarem seus crimes sem sujar as mãos. Eu fui o primeiro a fazer isso sem precisar de nenhuma ajuda. Hyde podia cometer seus crimes por puro prazer, pois, para todos os efeitos, ele nem mesmo existia: entrava pela porta do laboratório e quem saía de lá era um cidadão acima de qualquer suspeita.

Claro que, muitas vezes, Jekyll ficava enojado com as atrocidades de Hyde, mas não sentia nenhum peso na consciência. Afinal de contas, o culpado da história era Hyde, ninguém mais. Quando voltava a si, o médico não se sentia menos digno: pelo contrário, tornava-se ainda mais generoso e fazia de tudo para compensar o mal criado por seu duplo. Minha consciência, assim, ficava adormecida.

Não quero dar detalhes dos atos depravados de Hyde, pois ainda custo a admitir que era eu mesmo o autor deles. Mas, aos poucos, percebi que o meu castigo estava a caminho.

O primeiro sinal de alerta acendeu quando Hyde agrediu cruelmente uma criança na rua. As testemunhas ficaram tão furiosas que quase o lincharam. Para se safar, ele teve que dar um cheque assinado por Henry Jekyll. A situação era muito suspeita, então, no dia seguinte, abri uma conta em nome de Hyde e inventei para ele uma assinatura própria, inclinando a letra para trás.

Alguns meses depois, outro grande susto: certo dia acordei e estranhei o tamanho e o aspecto da minha mão, que estava menor, mais magra e peluda. Eu tinha dormido como médico e acordara como monstro!

Como explicar esse fato? Como remediá-lo? Eram as perguntas que eu me fazia, horrorizado. Eu não podia simplesmente sair do quarto, pois os criados estavam acordados. Minhas drogas estavam lá em baixo, no gabinete. Eu poderia talvez tapar o rosto, mas como esconder a baixa estatura? Foi então que lembrei, com grande alívio, que os criados já estavam habituados à presença de Hyde, ainda que em outras horas e outros cômodos. Atravessei a casa aflito, mas consegui chegar são e salvo ao gabinete. Em poucos minutos, o dr. Jekyll estava de volta, com ar compenetrado, fingindo tomar café.

Refleti muito sobre aquele incidente e só encontrei uma explicação: meu lado negativo vinha sendo tão exercitado que o corpo de Hyde estava ficando mais poderoso. Senti que o equilíbrio entre minhas duas identidades começava a ser quebrado e Hyde estava sobressaindo, mesmo sem o uso das drogas. Pior: se no início eu precisava de grandes doses para virar Hyde e doses menores para voltar a ser Jekyll, agora acontecia o contrário.

Era chegado o momento da decisão. Optar pelo médico era perder para sempre uma vida de prazeres e aventuras. Limitar-me a Hyde era me condenar a uma vida desprezível, sem amigos e sem grandes aspirações.

Jekyll, se fosse o escolhido, sofreria muito a abstinência e sentiria falta do outro, por quem tinha um carinho de pai. Hyde mal daria pela falta do outro, por quem sentia um desprezo de filho.

Como seria de se esperar, optei pelo melhor lado: o médico reprimido e envelhecido, cercado de bons amigos. Dei adeus à liberdade, à juventude e aos prazeres secretos. Mas não me desfiz da casa do Soho nem das roupas de Hyde.

Durante dois meses, consegui ser fiel à minha decisão. Mas aos poucos fui fraquejando, perdendo o medo, e senti saudades do meu outro lado. Até que, num momento de fraqueza, acabei tomando mais uma vez a poção.

O monstro que estava preso em meu corpo se libertou mais violento do que nunca. Saiu à rua descontrolado e, ao cruzar com Carew, atacou o infeliz com uma fúria incrível. Ninguém, em sã consciência, seria capaz de um crime tão bárbaro. Mas confesso que o espanquei com toda a vontade e euforia, e só consegui parar quando meu corpo se cansou. Olhei o corpo estendido no chão e, de repente, tive medo da polícia.

Corri para a casa do Soho e destruí tudo o que me comprometia. Depois voltei para a casa de Jekyll e bebi a poção, brindando ao morto. Quando Jekyll deu por si, chorou compulsivamente, de remorso, mas também de alívio, por saber que ninguém suspeitaria dele.

Naquele momento, eu pedi perdão ao Deus misericordioso, mas sabia que jamais conseguiria apagar da memória esse crime brutal. Foi quando resolvi que Hyde não poderia aparecer nunca mais. Sua culpa estava mais do que comprovada, e se ele voltasse a andar por aí, não escaparia da polícia. Tranquei a porta dos fundos, por onde entrava Hyde, e destruí a chave.

A vida normal e bem comportada me parecia a melhor saída e o melhor álibi. Retomei, com todo o ânimo, a caridade, o trabalho como médico e me senti quase feliz. Mas meu lado perverso nunca se calou dentro de minha mente; ele exigia liberdade e emoção e eu precisava de muito esforço para não ceder.

Num belo dia de janeiro, eu estava tomando sol no parque e me peguei lembrando, com nostalgia e pesar, as aventuras de Hyde. Seria ele tão ruim assim? Afinal de contas, não somos todos seres duplos e divididos?

Bem no meio dessas reflexões, senti uma náusea intensa, uma horrível tontura e quase desmaiei. Quando me recuperei, percebi que meu ânimo tinha voltado com plena força e que eu me sentia mais corajoso. Olhei para baixo e entendi o que estava acontecendo: as roupas estavam enor-

mes no meu corpo, minhas mãos estavam curtas e peludas. Eu tinha me transformado em Hyde.

Em poucos segundos, passei de um homem rico e respeitável para um marginal fugindo da forca. Hyde sabia que as drogas estavam longe dali, a chave dos fundos tinha sido destruída e, se tentasse entrar pela frente, os próprios criados o entregariam à polícia. Mas, ao contrário de Jekyll, ele não se entregava facilmente.

A saída era recorrer a alguém, e pensei em Lanyon. Mas como convencer meu ilustre colega a invadir e saquear o laboratório? Foi quando tive a ideia de escrever-lhe uma carta, com a caligrafia de Jekyll. Entrei em um hotel discreto, onde escrevi as orientações para Lanyon e outra mensagem para Poole.

Após enviar as cartas, Hyde passou o dia inteiro no quarto, roendo as unhas, sem saber se o médico recebera a carta e se aceitaria fazer sua parte no plano. Quase à meia-noite, ele partiu em direção à casa de Lanyon. Digo "ele" porque não consigo chamar de "eu" aquele ser desesperado. Caminhava a passos rápidos, pelas ruas mais escuras e desertas, assombrado por seus próprios medos, falando sozinho, evitando olhar para as pessoas. Uma senhora se aproximou e ofereceu, se não me engano, uma caixa de fósforos. Foi esbofeteada sem piedade.

Quando tomei a poção e voltei a mim, assustei-me com o evidente horror nos olhos de Lanyon. Pela primeira vez, eu me dava conta da grande tragédia que era ser Hyde. Fui embora transtornado e nem me lembro do caminho de volta. Caí exausto na cama e dormi um sono tão profundo que nem todos os pesadelos conseguiram interromper.

Acordei aliviado de estar em casa, são e salvo. Fui passear pelo jardim, mas logo comecei a sentir as terríveis sensações que antecediam a transformação. Voltei correndo para o gabinete e por pouco não consegui chegar a tempo.

A partir daquele dia, por mais que eu me esforçasse, não era mais possível permanecer como Jekyll, a não ser sob o efeito imediato da droga. Muitas vezes precisei duplicar, ou mesmo triplicar a dose, mas em questão de horas as dores me atacavam, anunciando o pior. E, sempre que eu dormia, era como Hyde que acordava. Arrasado por tamanha maldição, resolvi que não iria mais dormir. O sacrifício deixou meu corpo cada vez mais fraco e febril, e minha alma constantemente atormentada por Hyde.

Quando eu caía no sono, ou a droga perdia o efeito, meu outro lado tomava o poder, de modo cada vez mais rápido. As dores da transfor-

mação foram diminuindo, pois Jekyll, de tão debilitado, não impunha mais resistência.

Nesse ponto, o ódio entre os dois era mútuo. Jekyll odiava Hyde por saber que jamais se livraria daquela figura demoníaca. Passou a ver o outro como algo inorgânico, e não entendia como aquela sujeira, aquela lama do inferno podia gritar e chorar e sugar a sua vida.

Já o ódio de Hyde por Jekyll era de natureza diferente. Só aceitava a condição de subordinado porque tinha muito medo da forca. Mas não suportava a fraqueza e o abatimento de Jekyll. Então passou a me pregar peças cruéis: rabiscava palavrões nos meus livros, queimava minhas cartas, destruía os retratos da minha família. Se o pobre coitado não amasse a vida com tanta paixão, já teria se suicidado, só para me destruir.

Meu caro Utterson, não tenho mais forças nem tempo para continuar este relato. Ninguém jamais passou por um tormento igual ao meu, mas confesso que o tempo acabou trazendo — se não alívio — pelo menos uma anestesia para a minha alma. Acostumei-me ao desespero e poderia viver anos dessa forma, se não fosse uma última calamidade: o meu estoque do sal, que nunca tinha sido renovado desde o primeiro experimento, chegou ao fim. Poole já vasculhou todos os fabricantes e distribuidores de Londres, mas não consegue uma amostra com a mesma pureza da primeira. Pior, cheguei à terrível conclusão de que a amostra original é que era impura, e só por isso a mistura deu certo. Jamais conseguirei repetir a fórmula!

Portanto, meu amigo, esta é a última vez que Henry Jekyll consegue pensar seus próprios pensamentos e ver seu rosto (já tão alterado!) no espelho. Preciso terminar imediatamente esta confissão, pois, se a transformação ocorrer enquanto escrevo, Hyde certamente destruirá os papéis. Mas, se a mudança demorar um pouco, a carta estará salva, já que o animalesco Hyde só consegue pensar no tempo presente.

Na verdade, ele também já foi abalado por essa maldição. Daqui a meia hora, quando eu voltar àquela odiosa personalidade, sei que estarei chorando à beira da escrivaninha, ou andando freneticamente de um lado para o outro deste gabinete, meu último refúgio na Terra.

Hyde morrerá na forca? Ou, no último instante, vai criar coragem para se libertar? Só Deus sabe, e eu não me importo mais: a verdadeira hora da minha morte é agora, o que vier em seguida diz respeito a ele, não a mim. Então, ao baixar a pena e lacrar esta confissão, ponho fim à vida do infeliz Henry Jekyll.

O MORTO-VIVO DA COLINA VERDE

Leo Cunha

LEO CUNHA.

Brasileiro, nasceu em Bocaiuva, em 1966. Vive atualmente em Belo Horizonte, com a esposa, Valéria, e a filha, Sofia, que nasceu em 2000. É jornalista e publicitário; formou-se pela PUC de Minas Gerais e tem o título de mestre em Ciências da Informação pela Universidade Federal de Minas Gerais.

Conta com mais de 40 livros publicados, muitos deles premiados. Recebeu a indicação "Altamente Recomendável" da FNLIJ (Fundação Nacional do Livro Infantil e Juvenil) com os livros Pela estrada afora *(1993),* As pilhas fracas do tempo *(1994),* Poemas lambuzados *(1999),* Pão e circo *(2002), entre outros. Foi finalista do Prêmio Jabuti com os livros* A menina da varanda *(2001) e* Era uma vez um reino de mentira *(2005).* Clave de lua *(2001) foi eleito o melhor livro de poesia do ano pela FNLIJ.*

Leo Cunha sempre gostou de histórias de terror e aceitou o desafio da coleção **Três por Três** *com entusiasmo. Afinal, lidava com histórias que muito o haviam seduzido na juventude. Para ele,* Drácula *é "uma história de arrepiar". Mas é um livro longo, repleto de cartas, diários e relatórios. Na adaptação, procurou privilegiar a agilidade dos acontecimentos, a tensão e os perigos vivenciados pelos personagens que enfrentavam um vampiro cruel. Sua adaptação de* O médico e o monstro *acentua "um clima de aflição, angústia, à medida que vamos conhecendo os personagens, seus atos e suas terríveis consequências", como afirma. Já na sua história, Leo Cunha investiu em uma assumida mistura de gêneros. Explica: "Desde pequeno, sempre gostei muito de histórias de terror. É o meu gênero preferido, ao lado das comédias. Na terceira história deste livro,* O morto-vivo da colina verde, *misturei elementos desses dois gêneros. Do terror busquei o morto-vivo (como o Drácula) e a poção mágica e misteriosa* (a la Jekyll e Hyde), *além de bruxas e fantasmas. Mas, como eu nunca consigo fugir do humor, o leitor vai encontrar um divertido trio de adolescentes em plena descoberta do amor e dos mistérios da vida e da morte".*

O resultado é um "triálogo", uma narrativa que contém elementos clássicos do gênero horror, acrescidos do toque pessoal do bom humor. Um ótimo resultado para o leitor, que pode conhecer ou rever personagens tão extraordinários da literatura universal.

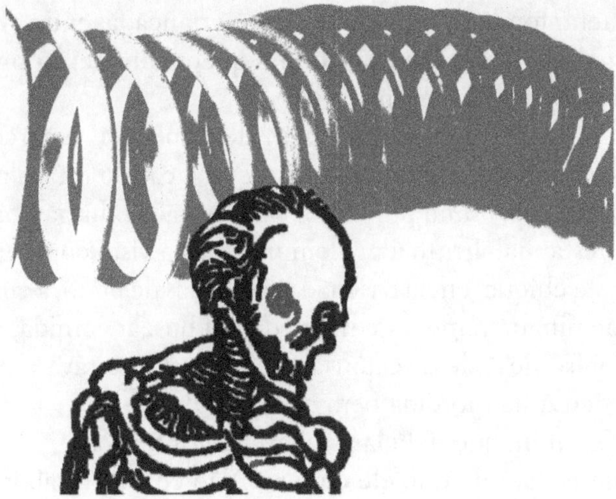

1
FANTASMAS, CAVEIRAS, ETC.

ALI ESTAVA EU, AO lado da menina mais linda do mundo, e não conseguia nem olhar pra ela. Fantasmas saltavam em cima da gente, aranhas dependuradas no teto quase grudavam em nosso cabelo, caveiras medonhas gritavam nas grutas, um lobisomem arreganhava os olhos e os dentes. A menina mais linda do mundo apertava meu braço, assustada, e quase subia no meu colo. E eu nem pra criar coragem de segurar a mão dela.

Mas espere aí. Acho que estou pulando algumas partes importantes dessa história. Antes de chegar à menina mais linda do mundo, antes de chegar aos fantasmas, caveiras e companhia, preciso contar certas coisas que aconteceram primeiro.

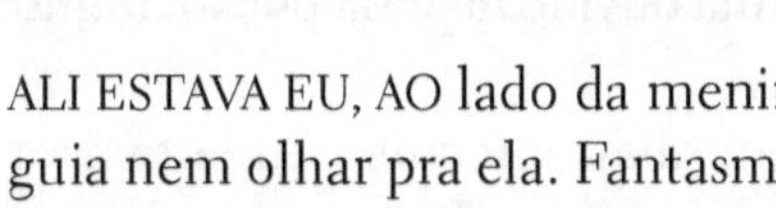

2
UM ESTRANHO VELÓRIO

TUDO COMEÇOU NO ENTERRO do Zequinha. Bem no meio do velório, o danado se levantou do caixão, coçou aquela barbona preta que descia pelo peito, e perguntou muito vivo:

— Como é que é, já serviram a janta?

Foi aquela gritaria. Teve mulher desmaiando prum lado, homem muito macho tombando pro outro, teve criança fazendo xixi na calça, velho engolindo a dentadura. Mesmo quem conhecia a figura de longa data assustou-se do mesmo jeito.

O Zequinha? O Zequinha nem deu bola pro escarcéu. Desceu meio desengonçado, aliás quase caiu, que o caixão estava alto demais. Olhou prum lado, olhou pro outro, viu que não vinha garçom nenhum. Que festa mal-arrumada, ele nunca tinha visto coisa igual! E olha que era festa chique, cheia das madames, todas de preto, a cor da moda...

Como ninguém mexesse um dedo pra buscar comida, ele enfiou a mão no bolso do paletó, catou alguma coisa que tava amassagada lá dentro e deu uma mordida bem dada.

— *Hummm*, que delícia! — Lambeu os beiços.

O que era aquilo que ele comeu? Não consegui saber. Pra falar a verdade, nem prestei muita atenção. Naquela hora, se eu soubesse que era o ingrediente secreto da Poção de Afugentar a Morte, teria ficado de olho, pra descobrir. Mas eu nunca tinha ouvido falar da poção, muito menos do tal ingrediente secreto.

Quando reparei, o Zequinha já caminhava preguiçosamente para fora do cemitério. Com certeza ia em direção à colina verde, que era onde ele morava. Nem percebeu que ali, ao redor, estava cada um mais embasbacado que o outro. Todos tinham se preparado para um velório com morto morrido, e de repente o sujeito se levantava pedindo comida...

Eu, que estava entrando na adolescência, não entendia quase nada daqueles mistérios. Então saí correndo feito louco pela rua e, como sempre, fui parar na casa da Flora, a menina mais linda do mundo e que eu queria muito namorar. Naquela época, tudo era motivo para eu ir parar na porta dela.

A Flora abriu a porta e estranhou minha cara de quem viu fantasma.

— O que aconteceu, Leo?

Eu adorava ouvi-la me chamando de Leo. Era só ela. Para o resto da cidade, eu era o Leonardo.

— Flora, você não acredita no que aconteceu!

— Você viu alma penada ou galinha depenada? — disparou com aquele sorrisão dela.

A Flora tinha um sorriso que não era só de lábios e dentes, não. Era de bochecha, de queixo, de nariz, de olho, de orelha a orelha. O sorriso dela mudava até a iluminação do ambiente. E foi bem isso o que aconteceu: de repente, a sala ficou mais clara e colorida.

— Ai, Flora! Só você pra me fazer rir numa hora dessas!

— Que nada, Leo. Você diz isso porque é apaixonado por mim e tá querendo me namorar...

Ela era assim, toda cheia de si. Transbordava florice. Não era convencimento, não. Simplesmente sabia como era linda e charmosa e engraçada e não via motivo pra fingir que não sabia.

Depois dessa, o que você queria que eu dissesse? "Não, Flora, impressão sua..." Claro que eu não ia dar uma resposta assim.

— É que o Zequinha *desmorreu* na minha frente!

— Jura?

— Juro. Quase tive um troço. Eu e todo mundo no velório.

Você precisava ver a cara dela. A menina só faltava pular de empolgação:

— Então quer dizer que era verdade! — Bateu na perna com a palma da mão.

— Como assim? — estranhei.

— Uai. Você nunca ouviu falar das histórias do Zequinha?

Não. Eu nunca tinha ouvido falar. Então ela explicou:

— O pessoal mais velho da cidade, minha avó, meu tio contam umas histórias cabeludas. Que o Zequinha é um morto-vivo, morre e depois desmorre. Mas eu imaginava que fosse assim... folclore, invencionice do povo. Cidade pequena, feito a nossa, tem dessas coisas.

Será que só eu não conhecia aquela história?

— Estou sentindo no ar um cheirinho de mistério! — Ela esfregava uma mão na outra. — Não é maravilhoso?

Maravilhoso? De jeito nenhum! Eu não tinha o menor talento pra detetive nem aventureiro. Tudo bem, eu até curtia histórias de mistério e terror, mas só nos livros. Agora virar personagem? Nem pensar!

Pena que eu não podia confessar nada disso pra Flora. Pelo contrário: para ter alguma chance de namorá-la, eu precisava ser um autêntico companheiro nas maluquices que ela inventava. A Flora já tinha me convencido a caçar vampiro, lobisomem, fugitivo, disco voador, tudo o que você imaginar. E eu, contaminado pela paixão adolescente, sempre me deixava influenciar, mesmo não acreditando muito nessas coisas sobrenaturais. Mas dessa vez era diferente: eu tinha visto o Zequinha desmorrer bem na minha frente.

— Não é maravilhoso, Leo? — ela repetiu. — Vamos já pra colina verde, que eu quero conversar com o Zequinha! Quero saber tudinho dessa história.

— Mas Flora, você já viu o Zequinha tantas vezes, andando pela cidade, sozinho, caladão, e nunca puxou conversa com ele...

— Isso foi quando ele era apenas uma lenda. Agora ele é um zumbi de verdade. Vamos logo.

— Agora?

— Topa ou não topa? Olha que eu chamo o Paulo, hem?

Bandida! Ela sabia como me provocar. Sabia que eu morria de ciúmes do Paulo e nunca ia deixar os dois subirem sozinhos aquela colina.

Não tive remédio senão topar. Mas o chato do Paulo foi também.

3
SUBINDO A COLINA VERDE

NO CAMINHO MONTANHA ACIMA, tive que escutar em detalhes toda a saga do Zequinha. A mãe do Paulo era professora de História (ou trabalhava na prefeitura, não lembro mais) e tinha feito uma pesquisa minuciosa sobre o morto-vivo.

Não pense que eu não gostava do Paulo. Pelo contrário, não tinha nada contra ele. Mas era um garoto meio misterioso. Muito alto e magro, muito branco, um olho azul e outro verde. Sabe esses caras que a gente não fica à vontade perto deles? O Paulo era assim. Chegou à cidade de repente, ninguém sabia direito de onde ele tinha vindo, o que os pais faziam, se eram ricos ou pobres, se eram ateus ou religiosos, se eram do Exército, nadica de nada.

Desde a primeira vez que eu vi aquele grandalhão na escola, desconfiei que havia alguma coisa errada com ele. Sabia que, mais cedo ou mais tarde, ele ia me aprontar alguma!

Mas o pior, mesmo, é que ele não desgrudava da Flora... um pouco assim que nem eu.

Pois bem. A história do Zequinha (de acordo com a mãe do Paulo) era a seguinte: algumas pessoas juravam que ele nunca tinha morrido e que ele morava naquela colina havia mais de duzentos anos, numa choupana de madeira e palha.

— Duzentos anos? — Fiz uma careta. — Meio difícil de acreditar.

O Paulo nem me olhou, continuou falando pro lado da Flora:

— Outros garantem que ele morreu, sim. Quatro vezes.

— Quatro?

— E viveu todas de novo.

— Cinco agora, com a do velório. — A Flora balançou o cabelo dum lado pro outro. — Qual a explicação pra esse mistério?

— E eu sei lá? — Fiz um muxoxo.

— A explicação exata ninguém conhece — o Paulo falou com aquele tom de sabe-tudo, só porque tinha recebido uma aulinha da mãe. — Dizem que ele cresceu sozinho numa floresta e mamou nas tetas de uma loba.

— Bobagem! — a Flora desdenhou. — Não tem floresta por essas bandas. A colina inteira é coberta de sempre-vivas.

— Tem razão... — o Paulo aceitou o argumento.

— Se bem que, duzentos anos atrás, pode ser que a vegetação aqui fosse diferente.

— Tem razão... — o Paulo concordou outra vez.

— Que fosse tudo uma enorme floresta! — a Flora se animou.

— Tem razão!

Estava na cara que ele ia concordar com qualquer coisa que a Flora falasse. Ela podia dizer que a colina tinha sido um vulcão, um mangue, um *iceberg*, e ele ia dizer "tem razão..."!

— Pois a gente vai desvendar esse mistério é hoje! Ou eu não me chamo Flora!

O Paulo gargalhou pra ela:

— Boa piada!

— Ficou maluco, Paulo? Eu não contei piada nenhuma.

— Como assim? O seu nome é Flora mesmo? — O Paulo franziu a testa.

— Claro que é, seu tonto!

E o coitado ficou vermelhinho.

— Sempre achei que era apelido...

Crente que a maré estava boa pra mim, tentei dar uma de esperto:

— Acabei de pensar numa coisa, Flora: a gente não tem um plano de ação!

Mas ela fez pouco caso.

— Pra quê plano de ação, Leo? É só chegar lá e conversar com o Zequinha. Deixa de ser medroso!

Dessa vez eu é que passei vergonha. Minha vontade era ser o garoto mais audacioso do mundo, disposto a enfrentar qualquer sufoco para conquistar sua musa. Mas eu não era assim. O máximo que eu podia fazer era esconder o medo e não deixar o Paulo passar na minha frente.

Por sorte, ele era um pouco como eu: mais parecíamos dois elementares Watsons, seguindo os passos e o charme da nossa Sherlock Holmes.

Tentei consertar minha bobagem.

— Sabe o que é, Flora? Em toda história de mistério as turmas sempre têm um plano bem planejadinho, que pode até dar errado, mas ao menos é um plano. Será que a gente não devia preparar umas três ou quatro perguntinhas pra fazer pro Zequinha? E se na hora der um branco e a gente não conseguir perguntar nada?

Mas a Flora? A Flora não era do tipo que tem um branco. Pelo contrário, ela tinha um arco-íris na cabeça. As perguntas saíam aos montes.

— E se o Zequinha encostar na gente? — me bateu um pânico, a cem metros da cabana. — O que é que acontece?

— Essa é fácil. — O Paulo levantou as sobrancelhas. — Se ele só encostar não tem problema. Ele não pode é morder.

— Por quê?

— Ora: quem é mordido por um vampiro, vira vampiro! Eles só ficam vivos porque se alimentam do nosso sangue. Foi minha mãe que me explicou.

A mãe do Paulo era professora de História (ou imigrante da Transilvânia, não lembro mais). Mas aquela explicação não me convenceu.

— E quem disse que o Zequinha é vampiro? — provoquei.

— Isso mesmo, Paulo! — a Flora concordou. — Só porque ele é morto-vivo não significa que seja vampiro.

— Pode ser... — o Paulo admitiu, contrariado. — Mas, se eu fosse vocês, não deixaria ele chegar muito perto, não.

Ressabiados, adotamos o ritmo pé ante pé. Lembro que ventava sem parar, um vento assoviado, agudo, que se fosse de noite já teria deixado a gente tremendo de frio e medo. Mas o dia estava claro, sol a pino, pouca nuvem, então fomos seguindo.

A dez metros da cabana, sem nenhum aviso prévio, a Flora começou a esgoelar:

— Zequinha! Ô, Seu Zequinha!

— Fala baixo, menina! — deixei escapar, assustado.

A Flora cruzou os braços e tamborilou o pé no chão:

— Você quer voltar? Por mim, tudo bem. Eu fico sozinha com o Paulo.

Era tudo o que eu não podia escutar.

— Tá bom, tá bom. É que me assustei com o seu gri...

— Seu Zequinhaaaaa! — ela berrou de novo.

Ninguém respondia. Agora já tínhamos chegado ao alto da colina, diante da cabana de madeira. A janela estava aberta, e o Paulo enfiou o cabeção pra ver se via alguma coisa.

— Nem sinal do Zequinha.

A Flora tentou abrir a porta. Estava trancada.

— Droga! — Ela chutou as flores no chão.

— O que a gente faz agora? — perguntei. — Vamos ficar esperando aqui?

— Claro, ué?! — a Flora respondeu. — Uma hora ele aparece.

Antes fosse. Nós esperamos em pé, esperamos sentados, esperamos deitados, tiramos o cavalinho da chuva e o infeliz não aparecia. Mas de repente um barulho estranho veio de dentro da cabana.

Sssss. Sssss.

— Tem alguém lá dentro! — A Flora se levantou num pulo.

O Paulo ficou na ponta dos pés e espiou outra vez pela janela:

— Não tem ninguém! Só uma cama velha, um criado-mudo, um fogareiro enferrujado, uma *mesinhazinha,* mais nada.

E aquele barulho? O que poderia ser?

— Ah, acabei de lembrar um detalhe — o Paulo falou. — Minha mãe disse que o Zequinha cria umas cobras...

Cobras? Estremeci só de pensar.

— Bobagem — a Flora zombou. — Quem é que vai criar cobra?

— Que tal um morto-vivo? — palpitei, aflito.

Naquele exato instante, alguma coisa passou zunindo entre as pernas do Paulo. *Ssssssss...*

— Cobra! — ele gritou.

— Socorro! — gritei junto.

— Calma, gente, é um lagartinho de nada! — a Flora ralhou. — Passou debaixo da porta.

— Mentira! — o Paulo exclamou. — Era uma cobra. E aposto que era venenosa.

Eu já não tinha certeza de nada, mas, na dúvida, preferi confirmar.

— Era cobra, sim!

— Pronto: dois marmanjos assustados com uma minhoca crescida...

— Que minhoca nada! — o Paulo gritou. — Ela quase me picou!

— Coitadinho... — ela riu, debochada.

O Paulo virou de costas, bicanca da vida:

— Quer saber: eu acho melhor descer. Eu tô ficando com fome.

— Eu também — emendei.

Era mentira, mas eu queria um motivo pra sair dali.

A Flora olhou pra mim, olhou pro Paulo, olhou pra cabana do Zequinha, pra mim, pro Paulo, pra casa, não conseguia esconder a frustração.

— Tudo bem. Eu topo descer com vocês, mas com uma condição... Vamos por ali. — E apontou pro lado sul.

— O quê? Você não está pensando em entrar...

— Claro que estou. Vamos pro cemitério!

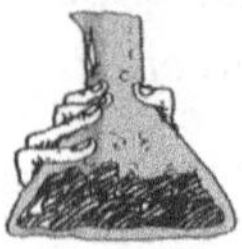

4 DE VOLTA AO CEMITÉRIO

— EU NÃO VOU PRO cemitério nem morto! — o Paulo gritou.

— Ah, não? Nem morto? — a Flora zoou.

A piada era boa, mas eu nem consegui rir. A ideia de voltar pra lá poucas horas depois do velório do Zequinha me arrepiava todo.

— Fazer o quê no cemitério, Flora? — o Paulo encrencou.

— Será que preciso explicar tudo? O Zequinha não é um morto-vivo?

— É.

— Não acabou de desmorrer lá mesmo, no cemitério?

— Acabou.

— Pois então. Alguma explicação a gente deve encontrar lá.

O Paulo não estava nem um pouco convencido.

— Não inventa moda, não, Flora! Entrar em cemitério sem motivo dá azar...

— Superstição.

— Superstição nada. Já aconteceram coisas horríveis com pessoas que entraram sem motivo naquele cemitério. Mamãe me contou.

A mãe do Paulo era professora de História (ou dona de uma floricultura, não lembro mais) e por isso conhecia tudo quanto era caso esquisito do cemitério.

E o Paulo começou a listar os casos:

— Um rapaz de 18 anos foi atravessar o cemitério para cortar caminho pro rio, arranhou a perna na beirada de um túmulo e, quando pulou no rio, as piranhas sentiram o cheiro de sangue e arrancaram a perna dele.

Olhei para a Flora, procurando um sinalzinho de medo, mas ela não se abalou. O Paulo continuou, em tom cavernoso:

— Uma madame levou seu *poodle* Inácio para passear pelas criptas e, de repente, o cachorro viu uma cova aberta e pulou lá dentro. Quando a madame olhou, o cachorro estava morto e a lápide, que já estava prontinha, tinha adivinhem que nome?

— Inácio? — perguntei, tremendo.

— Exatamente!

Dessa vez não consegui esconder o medo. Implorei pra Flora:

— Por favor, vamos desistir desse negócio...

Mas tinha mais.

— Um garoto de dez anos pulou o muro do cemitério para buscar o bumerangue e nunca mais voltou.

— O bumerangue pelo menos voltou? — a Flora emendou, irônica.

— Não tem graça nenhuma, Flora — chiei baixinho. — Eu já fui com você atrás de vampiro, lobisomem, fugitivo, disco voador, dragão... Mas dessa vez...

— Dessa vez o quê? — Ela me lançou um olhar de desafio.

Fiquei calado. O Paulo falou primeiro:

— Olha, Flora, se você faz tanta questão, eu até vou junto. Mas depois não diga que não avisei...

E, como eu não ia deixar a Flora sozinha com meu concorrente, acabei entrando no maldito cemitério, pela segunda vez no mesmo dia.

Muito da destemida, a Flora tomou a frente e foi apontando pros lados.

— Você vai por ali, você por lá, eu por aqui.

— De jeito nenhum! — discordei. — Vamos os três juntos!

— O Leonardo tá certo — o Paulo me apoiou.

A Flora balançou a cabeça:

— Tá bom, tá bom... Então me conta onde era a cova, Leo.

— Que cova?

— A cova onde o Zequinha ia ser enterrado, ora. Ela ainda deve estar aberta. Vamos lá investigar.

Investigar o quê? O que poderia haver numa cova aberta e vazia? Aonde a Flora queria chegar?

— Não sei onde fica — expliquei. — O caixão não chegou a ir pra cova. O Zequinha ressuscitou antes, ali na sala do velório. — E apontei pra esquerda.

— Sei... — ela olhou, pensativa, de um lado pro outro. — Então onde nós vamos primeiro? No velório ou na cova aberta?

Eu não queria ir a nenhum dos dois. Mas ela insistiu:

— Vamos seguir nossa intuição. Eu voto na cova.

— Eu também — o Paulo concordou.

— Cova... — preferi concordar.

O cemitério não era tão grande assim. Rodamos pela direita, depois pela esquerda, depois seguimos em zigue-zague. Mas não encontramos nenhuma cova aberta.

— Que esquisito... — o Paulo bufou, cansado.

— Já devem ter fechado a cova — emendei.

— Mesmo assim, a gente iria perceber que era cova nova — a Flora retrucou. — A terra fica diferente, mais fofa... Garanto que não tem nenhuma cova nova neste cemitério.

— Então o que aconteceu? — perguntei, intrigado.

A Flora sapateou no chão, irritada:

— Não sei, droga! Precisamos pensar.

E ficamos calados uns cinco minutos, tentando montar o quebra-cabeça em meio àquele silêncio mortal.

De repente, senti um bafo quente no pescoço e dei um grito. Junto com o grito, fechei os olhos. O Paulo e a Flora gritaram também.

— Aaaaaiii!

— O que vocês querem aqui, moleques? — perguntou uma voz arranhada.

Abri um bocadinho o olho direito e vi um velhinho careca, de olhos avermelhados, barba mal-feita e macacão azul. Era o coveiro. E ele estava muito zangado.

— Vocês não sabem que dá azar brincar no cemitério?

O Paulo respondeu depressa:

— Já ouvimos falar... O menino do bumerangue, o *poodle* Inácio...

— Pobre cãozinho — o coveiro riu malicioso, olhando pro céu. — Que Deus o tenha.

— Então não é lenda? — o Paulo perguntou.

O coveiro mostrou a dentadura amarelada:

— É tudo verdade. Eu vi com esses olhos que a terra vai comer.

E, talvez percebendo nossa cara de medo, emendou:

— Eu sei muito bem o que vocês estão bisbilhotando por aqui. Sei o que querem descobrir.

— Duvido. — A Flora empinou o nariz.

— Toda vez que o Zequinha foge de um velório, aparece um abelhudo por aqui.

— Abelhuda é a senhora sua... — a Flora começou a xingar, mas interrompi a tempo.

— A gente só está curioso de saber uma coisa: por que não tem nenhuma cova nova no cemitério?

O coveiro fechou a cara.

— Não se metam com o meu trabalho, seus moleques! Vocês não têm nada a ver com isso! Já pra fora!

Mas a Flora não se fez de rogada. Levou o indicador a um palmo do rosto do coveiro:

— Seu chefe vai gostar de saber que o senhor não está fazendo o serviço direito...

— Ora, sua atrevida! — Ele bufava de tanta raiva. — Você está me ameaçando?

— Não. Só quero entender o mistério do Zequinha. Mas, se o senhor não quer ajudar, posso perguntar pro seu chefe.

— Não, não! — O coveiro segurou o braço dela. — Não precisa perguntar nada pro chefe.

Depois deu um suspiro comprido e soprou:

— Eu posso contar um segredo, mas vocês têm que me prometer uma coisa...

— O quê?

— Que vocês vão parar de fuçar aqui. Os mortos precisam de paz. E eu também...

A Flora posicionou os dedos em forma de cruz e os beijou.

— Prometido.

— Então escutem bem, porque só vou falar uma vez...

E fez uma pausa comprida.

— O Zequinha virou morto-vivo por causa de um elixir mágico: a Poção de Afugentar a Morte.

— *Poção de Afugentar a Morte*? Meu Deus!

— Não acredito!

— Impressionante!

Era tudo o que a gente conseguia dizer.

— Conta mais! — a Flora pediu.

Mas o coveiro já tinha sumido no ar.

— O que foi isso? — O Paulo estava ainda mais branco. — A gente se distraiu um segundo e ele desapareceu.

Eu só conseguia pensar em sair logo daquele lugar.

— Vamos, Flora. Vamos deixar os mortos em paz... Nós prometemos pra ele.

Chegando à rua, a Flora fez sinal para a gente parar.

— O que vocês acharam? Esse sujeito tá escondendo alguma coisa?

— Essa cova faltando... — comentou o Paulo.

— Vai ver o coveiro já sabia que o Zequinha ia desmorrer — falei. — Aí ele nem abriu a cova.

— Pode ser... — a Flora disse, pensativa. — E, pra gente não criar caso, ele falou dessa "Poção de Afugentar a Morte".

— Será que é uma boa pista pro nosso mistério ou ele inventou essa história só pra assustar a gente? — perguntei.

— É o que nós vamos descobrir — a Flora decretou. — Agora precisamos planejar o próximo passo.

— Tá vendo? Foi por isso que aquela hora eu falei do plano de ação...

Mas ela não me deu bola.

— Já está ficando tarde, então vamos fazer o seguinte: cada um volta pra casa e pesquisa sobre poções e elixires. Quem descobrir alguma coisa me telefona, tá bom?

— Tá bom.

— Combinado.

— E tem mais uma coisinha — ela acrescentou, maliciosa. — Quem tiver a ideia mais genial ganha um prêmio.

— Que prêmio? — o Paulo e eu perguntamos juntos.

— Passar um dia inteiro comigo no parque de diversões, sábado.

Eu não contive uma risada:

— Deixa de ser metida, Flora!

— Não quer, não? Então a oferta é só pro Paulo...

Ai, como aquela menina sabia me irritar.

— Não, não, claro que eu topo!

— Claro que você topa... — ela repetiu, com uma piscada provocadora. — Claro que vocês dois topam...

5
UM SONHO ILUMINADO

TENHO QUE CONFESSAR UMA coisa: no começo aquela história só me deu medo. Mas, depois de tantos sustos e surpresas, o mistério já tinha me fisgado feito um peixe. Em parte por pura curiosidade, vontade de descobrir tudo. Em outra parte, porque ali estava uma ótima chance pra eu impressionar a Flora.

No entanto, eu precisava de uma ideia genial. E pra isso eu tinha que pensar muito, pensar até sair fumaça pelo cabelo.

Fiquei rolando na cama pra lá e pra cá, apaguei e acendi a luz umas dez vezes, peguei papel e caneta pra anotar, mas não saía nada de útil, muito menos de genial. Como decifrar aquele mistério? Quem poderia me ajudar? Apelar pros livros e documentos não era uma boa tática, porque a mãe do Paulo era professora de História (ou bibliotecária, não lembro mais) e tinha acesso fácil a toda essa papelada. Não, não, eu precisava encontrar outro caminho.

Acabei caindo no sono sem nenhuma ideia. E foi então que, bem no meio de um sonho, me veio a luz. Eu vi uma imensa panela de ferro, borbulhante, cheia de cores esquisitas, e logo me lembrei de dona Ênia, a famosa bruxa da cidade! Ela devia saber tudo sobre zumbis e poções mágicas!

Levantei da cama num pulo e corri pro telefone, mas, quando reparei no cuco da parede, ainda eram cinco da manhã. Droga! Eu ia ter que esperar o relógio dar pelo menos umas sete horas. Antes disso, não dava para ligar pra casa dos outros...

E se o Paulo também tivesse um sonho revelador, feito o meu, e ligasse pra Flora sem esperar um horário decente? Eu perderia o dia no parque de diversões, só por excesso de educação?...

E se o Paulo ligasse pra Flora às cinco e meia e a mãe dela passasse um sabão nele? Era ainda mais arriscado! Ela podia proibir a Flora de sair com o Paulo durante um mês...

E se a Flora achasse que o Paulo tinha sido supercorajoso de telefonar de madrugada e resolvesse fugir de casa só pra sair com ele?

E se...

Triiiim. Tocou o telefone. Eu atendi no susto, porque já estava com o aparelho na mão.

— Credo! Nunca vi ninguém atender o telefone tão rápido na minha vida! — a Flora riu do outro lado.

— Bom dia, maluca!

— Desculpa, Leo, sei que são cinco e pouco da manhã, mas estou aflita com essa história. Estou me sentindo um fracasso como detetive!

A fracassada mais linda do mundo, eu podia completar. Mas claro que não falei nada.

— Pois saiba que eu tive uma ideia que parece boa... — sussurrei.

— Conta!

— A dona Ênia... — disse, inseguro, com medo de ela desprezar minha ideia.

— A bruxa! — ela repetiu num grito, provavelmente acordando todo o bairro. — Como é que eu não pensei nisso antes? Ideia genial!

Meu coração disparou de tão feliz. Eu acabava de ganhar um dia no parque.

— Você acaba de ganhar um dia no parque. — Ela leu meus pensamentos. — Mas isso é só no sábado. Primeiro nós vamos à casa da dona Ênia. Me encontre na pracinha às dez em ponto. Eu vou ligar pra ela.

— Dizem que ela não recebe ninguém! Eu nunca vi nenhuma pessoa entrar naquele casarão. Aliás, eu nunca vi a cara dessa bruxa.

— Muito menos eu, porém não temos outro jeito. Eu digo que é pra aula de História. Uma pesquisa sobre os moradores antigos da cidade.

— Será que ela engole?

— Cruze os dedos, Leo. E por via das dúvidas leve sal grosso, uma Bíblia e um crucifixo.

— Tá bom.

— E uma figa também.

— Mas figa não é pra mau-olhado?

— E você acha que olhado de bruxa é bom por acaso?

Já que era assim, levei também um pé de coelho, um trevo-de-quatrofolhas de plástico, tudo quanto é balangandã que achei na cômoda da minha mãe.

Tocamos a campainha, mas em vez de *blim-blom* soou uma música estridente de estourar o tímpano da gente. A porta se abriu como que por mágica, sem ninguém do lado de dentro.

— Podem esperar dona Ênia aí na sala! — Uma voz muito aguda veio da direita e da esquerda ao mesmo tempo, de cima e de baixo, de longe e de perto. E ficou ecoando por todo o ambiente. Imaginei que a voz devia ser de uma aprendiz de feitiçaria, ajudante da dona Ênia.

Enquanto isso, aproveitamos para examinar a sala da bruxa. Era exatamente como a gente imagina a sala de uma bruxa. Pilhas e mais pilhas de livros grossos e velhos, com capas duras marrons ou vermelhas e letras douradas brilhando. Dezenas de garrafinhas arredondadas, com líquidos de cores estranhas, rosa-choque, lilás, verde-musgo, alaranjado. Uns penduricalhos prateados em forma de lua, estrela e outros símbolos esquisitos. Três vassouras de palha largadas num canto. E, é claro, o caldeirão que estava no meu sonho. Era enorme, borbulhante, e soltava uma fumaça azulada que subia em direção ao teto.

— Bem-vindos à casa da dona Ênia. — A bruxa apareceu de repente.

Que estranho! A voz aguda não era de nenhuma ajudante, como eu tinha imaginado. Era da própria dona Ênia. A bruxa se referia a ela mesma na terceira pessoa.

— Dona Ênia está curiosa de saber o que vocês acharam da decoração — perguntou daquele jeito esquisito lá dela.

Era mais alta do que eu pensava, e muito magra. Não tinha queixo pontudo, nem verruga na ponta do nariz, nem cabeleira desgrenhada feito as feiticeiras dos filmes. Tinha um olhar desconfiado, mas também um sorriso largo, o que me deixou perdido. Era pra ficar com medo ou me sentir bem acolhido?

— Parece uma sala copiada dos filmes de bruxa — a Flora falou, na bucha.

Ela era mesmo uma garota sem papas na língua.

A bruxa deu uma gargalhada tão alta que chacoalhou até as vassouras.

— Dona Ênia gosta de gente sincera. Então ela também vai ser sincera com vocês. Essa sala foi decorada do jeitinho que você pensou, mocinha.

— Como assim?

— É tudo copiado dos filmes. Já que todo mundo na cidade chama dona Ênia de bruxa mesmo, ela resolveu copiar a decoração, pra botar medo nos visitantes mais enxeridos e ninguém encher sua paciência. Nunca ninguém passou dessa sala, todos dão meia-volta e nunca mais voltam.

— Que pena! — A Flora fez um muxoxo. — Eu queria muito conhecer o lugar onde a senhora trabalha de verdade...

— É mesmo? Você não tem medo? Então venha conhecer a cozinha. É onde dona Ênia trabalha.

— Eu adoraria! — Os olhos da Flora brilharam.

Imagine um laboratório escuro, com estranhos barulhos metálicos, cheio de asas de morcego, olhos de peixe, lagartos mortos, raízes retorcidas, cheiro de enxofre e o teto gotejando algum líquido nojento em cima de nós. Foi tudo isso que também imaginei. Meu estômago começou a embrulhar.

Mas, quando a bruxa abriu a porta, deparamos com a cozinha mais limpa e elegante que eu já tinha visto. Toda branquinha e iluminada, com um fogão normal, panelas normais e vários vidrinhos normais de temperos normais, todos etiquetados.

— Mas é só uma cozinha! — a Flora falou, decepcionada.

— Que cozinha linda! — emendei, aliviado.

Dona Ênia riu baixinho e explicou que não precisava de nada mais do que aquilo para suas receitas.

— Sabe, menina, há muitos anos, séculos, milênios, várias mulheres são chamadas de bruxas só porque inventam receitas, poções, infusões, unguentos, coisas assim, pra alimentar a alma e o coração. E também pra curar várias doenças. Só que muita gente não entende nem aceita essas receitas, então as chamam de bruxas, feiticeiras, pecadoras, malditas. Não têm coragem nem de encostar na gente, pensando que bruxaria pega... Quanta ignorância desse povo!

Ela falava com a voz tranquila, remexendo com colher de pau uma panela que cheirava muito bem.

Mas a curiosidade da Flora estava longe de ser saciada.

— E os tais rituais de magia?

— É que muitas rezavam na hora de preparar ou de servir os remédios, pedindo proteção aos deuses.

— E os manuais de bruxaria?

— São livros de receita, nada mais.

— Eles não ensinam feitiços do mal, que prejudicam as pessoas?

— Algumas bruxas inventam mesmo receitas indigestas, venenos ou coisas piores. Mas são exceções, que existem em qualquer profissão. A tal bruxaria é quase sempre do bem.

— Que coisa... — A Flora balançou a cabeça, pensativa.

Dona Ênia respirou fundo e olhou pro teto com um olhar vago, distante, parecia que estava enxergando o passado.

A Flora sussurrou no meu ouvido:

— Acho que chegou a hora de fazer a pergunta fatídica.

Então olhou a bruxa nos olhos e soltou:

— Escuta, dona Ênia, existe alguma receita para viver duzentos anos? Ou para morrer e voltar a viver?

Um trovão explodiu lá fora. As portas começaram a bater e as vassouras caíram no chão da sala. Dona Ênia parou de mexer a panela, encurvou todo o corpo e esbugalhou os olhos. Agora, sim, estávamos diante de uma verdadeira bruxa.

— Vocês estão querendo saber é do Zequinha? Por que não disseram isso ao telefone? Por que falaram que era um trabalho pra escola? Se tivessem falado a verdade, dona Ênia nem teria aberto a porta! Saiam já daqui!

6
A POÇÃO DE AFUGENTAR A MORTE

A BRUXA BUFAVA, GRITAVA, enfurecida, enxotava a gente em direção à porta da rua. O caldeirão no meio da sala começou a borbulhar mais forte e eu tive um leve pressentimento de que íamos virar picadinho.

Entretanto, a Flora não era de aceitar desaforo fácil, nem mesmo de bruxa velha.

— A senhora me desculpe, dona Ênia, mas daqui eu não saio.

— Fora! Fora! — a bruxa não parava de gritar.

A maluca da Flora ajoelhou-se no chão, em frente às vassouras, cruzou os braços e empinou o queixo. Os olhos dela só faltavam faiscar. Naquela hora ali, tive certeza de que se a Flora tivesse vivido na Idade Média teria sido uma bruxa de primeira!

— Não saio dessa casa sem saber a explicação do mistério.

Eu, que não levava jeito pra feiticeiro, enfiei a mão no bolso da calça e apertei com força minha figa, meu crucifixo, tudo o que eu tinha trazido.

A bruxa foi ficando vermelha, branca, azul, amarela, parecia que todas as emoções circulavam por seu corpo, junto com o sangue. Eu já via a hora em que ela ia explodir na nossa frente. Mas o que aconteceu foi que a bruxa começou a... chorar.

— Vocês... vocês não podiam fazer isso com dona Ênia...

E chorava e fungava e soluçava.

— Dona Ênia não merece, ela é uma bruxa do bem...

A Flora, sem a menor cerimônia, foi até a geladeira, pegou um copo d'água e serviu dona Ênia.

— Obrigada. — A bruxa enxugou uma lágrima. — Dona Ênia vai contar tudo.

A Flora me olhou com um sorriso de lado, como quem diz: "Tá vendo, medroso?", e se aboletou de volta no chão.

— Sou toda ouvidos.

A bruxa respirou fundo:

— O Zequinha foi o grande amor da vida de dona Ênia. Os dois estavam apaixonados, juraram amor eterno. Ele prometeu ficar ao lado de dona Ênia até que os dois fossem velhinhos, de bengalinha.

Os lábios dela tremiam enquanto falava.

— Dona Ênia fazia de tudo pra ele, as receitas mais saborosas, com as melhores cores, cheiros, sabores. O Zequinha era a vida pra ela. Até que um dia...

E parou, parece que rebobinando as lembranças, ou folheando mentalmente um dicionário, atrás das palavras certas.

— Até que um dia dona Ênia descobriu um elixir muito especial. A Poção de Afugentar a Morte.

A Flora e eu prendemos a respiração.

— Então é mesmo verdade!

A bruxa estranhou:

— Vocês já ouviram falar da poção? O Zequinha contou pra vocês?

— Não... foi o coveiro do cemitério.

— Cretino! Aquele ali não sabe ficar calado. Só porque tem trabalho dobrado com o Zequinha.

Mas a Flora não queria perder tempo com o coveiro.

— Como era essa Poção de Afugentar a Morte, dona Ênia?

— Era uma receita bem simples, na verdade. Mas com um ingrediente secreto que nunca ninguém tinha usado. Assim que dona Ênia fez a descoberta, levou a novidade pro Zequinha, toda satisfeita. Era muito tarde, alta madrugada. O Zequinha ouviu calado, deu um beijo na dona Ênia e dormiram abraçados. No dia seguinte... no dia seguinte...

Ela mal conseguia falar, de tanto que chorava.

— Quando acordei, o Zequinha tinha ido embora. Nunca mais voltou, nunca mais apareceu, nunca mais conversou com Dona Ênia.

— Não acredito! — falei, indignado, olhando pra Flora. — Eu nunca faria isso com o amor da minha vida...

— E qual era esse ingrediente, dona Ênia?

— Ah, menina, dona Ênia sente muito, mas não, isso ela não pode contar. Depois que o Zequinha foi embora, dona Ênia prometeu que jamais revelaria esse ingrediente a ninguém. Só nós dois sabemos a fórmula, e dona Ênia tem certeza de que ele também jamais contará.

Olhei pra Flora e percebi que ela não iria descansar enquanto não descobrisse o ingrediente secreto. Ia perguntar pro Zequinha, com toda a certeza. Mas ela não disse nada, apenas se levantou e deu na bruxa um abraço apertado.

— Que pena, dona Ênia! É muito triste a sua história...

Eu também tentei consolar a bruxa, mas não sabia mais o que dizer.

— Um dia ele volta, dona Ênia. Tenho certeza.

Ela só balançou a cabeça de um lado pro outro.

— Volta nada, filho. Dona Ênia já esperou mais de cem anos...

7
SÁBADO NO PARQUE

A FLORA JÁ QUERIA subir a colina verde no dia seguinte, mas era sábado, então cobrei meu prêmio:

— Hoje é o dia do parque, dona Flora.

— Tem certeza, Leo? Não pode ficar pra amanhã?

— Claro que não! Combinado é combinado.

Mal abriu o parque, já estávamos na bilheteria. Compramos dois passaportes que davam direito a passar o dia inteiro ali, repetindo duas, três, dez vezes os mesmos brinquedos. Até a montanha-russa.

Eu estava todo eufórico, porque ia passar um dia inteiro sem pensar em mistério, zumbis, bruxaria. Só me divertindo com a Flora, batendo papo, comendo maçã do amor. Quem sabe agora eu tomava coragem e me declarava pra ela?

Aí a gente entrou no trem-fantasma. Foi o meu azar.

Ali estava eu, ao lado da menina mais linda do mundo, e não conseguia nem olhar pra ela. Fantasmas saltavam em cima da gente, aranhas dependuradas no teto quase grudavam em nosso cabelo, caveiras medonhas gritavam nas grutas, um lobisomem arreganhava os olhos e os dentes. A menina mais linda do mundo apertava meu braço, assustada, e quase subia no meu colo. E eu nem pra criar coragem de segurar a mão dela.

E vou falar uma coisa pra você. A Flora ficava ainda mais bonita quando estava com medo... aquele olhão castanho, cor de mel se o mel fosse um pouquinho mais escuro e brilhasse feito o olho dela. Eu estava mesmo apaixonado e só me restava declarar meu amor.

Podia sussurrar assim no ouvido dela: "Nada disso me arrepia mais que um sorriso seu".

Ou será que essa frase ia ficar ridícula demais dentro de um trem-fantasma? Ou será que ela ia achar ridículo, mas tão sincero que ia me lascar um beijo mesmo assim? Ou eu é que devia lascar o beijo, sem falar nada antes?

Aí, de repente, ela deu um grito e desmoronou minha fantasia romântica.

— Que foi, Flora?

Ela deu um tapa na própria testa e outro na minha.

— Como nós somos burros!

O carrinho do trem-fantasma deu uma guinada de 180 graus, o Drácula quase arrancou um naco do pescoço da Flora, mas ela nem ligou. Só conseguia pensar em sua incrível descoberta.

— Como eu não tinha pensado nisso antes?

— Do que é que você tá falando, menina?

— Do ingrediente secreto, é claro!

— Você descobriu o que é?

— Descobri... tenho quase certeza.

O trajeto do trem-fantasma chegou ao fim e ela se levantou num pulo, me puxando pelo braço com toda a pressa do mundo.

— Vamos embora! Pra colina verde!

— Mas, Flora, nós compramos o passaporte pro dia inteiro e só brincamos uma vez na montanha-russa, uma no tromba-tromba e uma no trem-fantasma...

— Tá bom, eu chamo o Paulo.

Engoli em seco.

— Aliás — ela continuou, com aquele ar de líder da expedição —, nós vamos mesmo precisar dele, porque essa missão é a mais arriscada de todas.

Droga! Tive vontade de soltar os cachorros, contar que eu achava o Paulo um sujeito muito esquisito, confessar que eu tinha certeza de que, mais dia, menos dia, ele ia aprontar alguma. Mas não falei nada, pra ela não pensar que era puro ciúme.

8 DE VOLTA À COLINA

NA SUBIDA DA COLINA, o Paulo não parava de xingar por não ter ido à casa da bruxa. Jurou que entendia tudo de bruxaria, porque a mãe dele era professora de História (ou tinha uma loja esotérica, não lembro mais). A Flora não deu trela.

— Isso é choro de perdedor, Paulo. Você sabe que o combinado era esse: quem tivesse a ideia mais brilhante iria comigo.

— Iria com você ao parque! — ele gritou, injuriado. — E não à casa da bruxa! Isso fazia parte da investigação!

Eu tinha que admitir que o Paulo estava certo. Mas outra vez a Flora deu de ombros.

— Agora não adianta reclamar. Já fomos à casa da bruxa e ao parque. E você tá pegando o boi que eu te chamei pra vir com a gente!

— Não tripudia no coitado. — Entrei pra defender o Paulo, e eu mesmo me assustei com minha iniciativa.

Ele me olhou, agradecido, mas a Flora só riu de lado.

— O Clube do Bolinha finalmente se reuniu.

Aquela guria já estava merecendo um esculacho. Mas, por outro lado, fazer o quê? O jeito mandão fazia parte do charme dela...

— Vamos, Paulo, anime-se! — ela tentou consertar. — Hoje é o grande dia!

O Paulo ainda andou de cara fechada uns cinco minutos, porém acabou desistindo de ficar emburrado. Ele era feito eu, não conseguia ficar com raiva da Flora.

— Pelo menos me contem todos os detalhes: como era a casa da bruxa? Deu muito medo?

A Flora contou tudinho: da sala copiada dos filmes, da cozinha assustadoramente limpa, da história de amor mal-acabada entre dona Ênia e o Zequinha.

— O mais estranho de tudo — comentei — é que a dona Ênia nunca fala a palavra "eu".

— Como assim? — o Paulo não entendeu.

— Ela só fala dela mesma na terceira pessoa.

— É verdade — a Flora completou. — Por exemplo, ela não diz: "Eu quero isso assim, assim", diz: "Dona Ênia quer isso assim, assim".

— Que velha maluca! — o Paulo riu.

— É muito esquisito — continuei. — A gente nunca sabe direito se o que ela está contando aconteceu mesmo com ela ou com uma outra pessoa. Quer dizer, dá a impressão de que se trata de outra pessoa, mas a gente sabe que é ela. Ou o contrário, sei lá. Acho que é só um truque pra deixar a gente confuso...

— Deixa isso pra lá, Leo. Você está se preocupando muito com os detalhes, com o jeito da velha contar a história. O que importa mesmo é o conteúdo da história.

— Será? — Franzi a testa.

— Claro! O que importa mesmo é a Poção de Afugentar a Morte. E o ingrediente secreto, que já descobri qual é.

— Descobriu e não quer contar pra gente — reclamei.

— Só quando eu tiver certeza.

— Aposto que é veneno de cobra! — o Paulo arriscou. — A cobra que o Zequinha cria e quase me picou.

— Não...

— Ferrão de marimbondo? — tentei.

— Na, nã, ni, na, não...

— Casca de escorpião? — ele insistiu.

— Tá longe...

— Conta, Flora! — imploramos juntos.

— Ainda não! Só quando o Zequinha confirmar.

Ela apertou o passo e fomos atrás, feito dois aprendizes de caça-fantasma. Não demorou muito e já estávamos na colina verde. Foi o Paulo quem viu primeiro.

— Olha lá o Zequinha, deitado no meio das flores!

9
ENCONTRO COM O MORTO-VIVO

SENTI UM FRIO NA barriga sem saber se era de felicidade, susto, aflição ou medo. Lá estava ele, dormindo feito uma criança, de lado, meio encolhido.

Olhando assim de longe, parecia um velhinho comum. Quer dizer, comum também não! Era um velhinho bem velhão, de cabelos compridos, barbas mais compridas ainda e unhas ainda mais! Tinha uns vinte centímetros de unha em cada dedo, fora o exagero. Apertado na mão direita, estava um tufo de alguma coisa que a gente não conseguia ver o que era.

— É o ingrediente secreto! — a Flora garantiu.

— Tem certeza?

— Claro que tenho.

O Zequinha continuava ali, paradão, cabeludo, barbudo, unhudo, sujo e esfarrapado.

— Como é que a dona Ênia foi se apaixonar por essa figura estranha? — o Paulo perguntou, incrédulo.

— Tente imaginar o Zequinha com cem anos a menos — respondi. — Com certeza era melhor.

— Pior é que não podia ser — ele retrucou.

Mas a Flora não estava ali pra brincadeira.

— Chega de falação, vocês dois. Nós temos um mistério a desvendar.

Foi avançando e fazendo sinal com a mão, pra gente ir atrás. Olhamos daqui, olhamos dali, e o Zequinha não mexia um dedo.

— Como é que a gente vai descobrir o que tá escondido nessa mão enorme? — perguntei. — Vamos cutucá-lo?

— Fazer cosquinha? — o Paulo tentou.

— Calma — a Flora pediu. — Ele tá dormindo feito pedra, a gente precisa ter muito cuidado. Alguém vai lá, abre os dedos dele bem devagarzinho e puxa o tufo.

— Onde já se viu roubar um velhinho adormecido? — perguntei, com medo de ser o escolhido para aquela manobra arriscada.

— Roubar, não, seu bobo! — a Flora riu. — Trata-se de uma coleta de provas.

Não gostei de ela me chamar de bobo. Eu só não queria pegar naquele morto-vivo, ora! Então resolvi dar uma de herói.

— Pode deixar, então, que eu vou.

A Flora me olhou, incrédula. Virei de costas pros dois, fiz uma careta, amoleci, bambeei, comecei a suar... Que hora ridícula eu tinha inventado pra bancar o valentão. Agora azar!

Fui chegando pé-ante-pé pra perto do dorminhoco, mais perto, mais. Já estava a meio metro do Zequinha, agora era só abrir os dedos e puxar o tufo. Mas, quando olhei bem, achei que a missão era impossível.

— A mão tá apertada demais — resmunguei, afobado. — Vamos deixar isso pra lá! Que importância tem esse tal ingrediente? Alguém aqui por acaso vai fazer a Poção de Afugentar a Morte? Alguém tá pensando em tomar essa poção?

— Vira essa boca pra lá! — o Paulo exclamou.

A Flora sacudiu a cabeça, pra espantar aquela ideia.

— Não tente fugir da raia, Leo. A gente já chegou até este ponto e agora vai desistir?

Meu sangue já estava gelado.

— Coragem! — a Flora insistiu. — Abra os dedos dele!

Não tinha mais jeito. Fechei os olhos e estiquei o braço. Quando encostei naqueles dedos cheios de unha, senti que eles estavam frios, mas tão frios que não tinha explicação.

— Aaaai, meu Deus! — soltei um grito.

— O quê que foi?

— O Zequinha tá gelado! Tá morto outra vez!

— Aaahhh!

Nós três tivemos a mesma reação: fugir, desembestados, ladeira abaixo. Mas só dois correram: a Flora e o Paulo. Porque o coitado aqui não conseguiu. Bem na hora em que eu ia dar no pé, o morto agarrou meu braço com toda a força.

O Paulo e a Flora já estavam lá longe quando ouviram o meu grito.

— Socorro, ele me pegou!

10
O OUTRO LADO DO SEGREDO

ELES PARARAM DE CORRER. Olhei nos olhos da Flora e vi que até ela estava assustada. O Paulo, coitado, rezava pra tudo quanto é santo, olhando pro céu. Nem conseguia olhar pra mim e pro morto-vivo.

O Zequinha me olhou e abriu um sorriso misterioso. Reparei nos dentes pontudos, feito dentes de vampiro. Entrei em desespero: e se o Paulo tivesse razão? E se o Zequinha quisesse o meu sangue? Se precisasse do meu sangue pra continuar vivo?

— Por favor, me solta — pedi, desesperado.

Mas ele não soltava. Bem devagar, a Flora e o Paulo foram subindo de volta.

— Pelo amor de Deus...

Foi quando ele falou com uma voz muito rouca, de dois séculos de idade:

— Nunca senti tanta fome!

Pronto: era agora que eu ia levar uma mordida e virar morto-vivo.

— Solta ele... — a Flora implorou, quase sem voz.

O Zequinha olhou pra ela com um ar curioso.

— Eu solto, moça bonita. Mas com uma condição... Vocês me dão dinheiro pra eu comprar comida?

A Flora e o Paulo reviraram os bolsos, caçando trocado, caçando moeda.

— Pode ser qualquer coisa — o Zequinha falou. — É que eu tô morto...

— Aaaaiiii!!! — nós três berramos de novo.

— ...de fome — ele completou. — Há muito tempo que eu só como isto aqui.

E abriu a mão, mostrando o tufo.

— Eu sabia! — a Flora gritou.

— Sabia o quê, menina? — o Zequinha estranhou.

A Flora se empinou toda, como quem termina uma prova e sabe que vai tirar dez.

— Esse é o ingrediente secreto da poção! A sempre-viva!

O Zequinha largou no chão o tufo de sempre-vivas, largou também o meu braço e perguntou, surpreso:

— Vocês andaram conversando com a Ênia?

— Sim, senhor, seu Zequinha! — A Flora apontou o dedo pro nariz dele. — Ela contou a história toda pra gente. E que coisa feia você fez, hem? Jurou amor eterno depois abandonou a pobre coitada.

O morto-vivo balançou a cabeça, concordando.

— Você tem razão, mocinha. Foi uma vergonha. Mas... mas a Ênia não precisava ter feito aquilo.

— Aquilo o quê?

— Ela não precisava inventar a tal Poção de Afugentar a Morte. A gente se amava, a gente vivia tão bem. Eu tinha jurado amor eterno, mas não, ela queria mais.

— Como assim? — a gente não entendeu.

— Quando ela me deu a poção, não contou o que era. Eu bebi achando que era uma sopa comum. Só depois ela revelou que era a Poção de Afugentar a Morte. A Ênia queria amor pra toda a eternidade, pra sempre, *para todo o sempre*, entenderam? Naquela hora me bateu um desespero, uma angústia, logo percebi que não ia suportar. Então fugi, fui embora *pra sempre* também. Eu abandonei a Ênia, mas ela também me enganou. Ela também é culpada...

Eu, a Flora e o Paulo nos entreolhamos, engasgados. Não é que a bruxa tinha razão em sua tristeza, mas o zumbi também tinha razão em seu desespero?

— Que história mais triste... — A Flora murchou toda.

— Nem me diga — o Zequinha suspirou. — E sabem que eu nunca contei essa história pra ninguém? Aliás, só pro meu velho amigo Juca, o coveiro da cidade.

"Então era por isso que o coveiro conhecia a poção...", pensei.

E ficamos os quatro em silêncio um tempão.

Depois, num estalo, o Zequinha se levantou, sacudiu a poeira e abriu um sorriso:

— O silêncio tá muito bom, mas eu preciso comer que eu tô com muita fome. A sempre-viva quase não alimenta.

— Então por que você continua comendo? — perguntei.

— Porque assim a poção continua fazendo efeito pra sempre. Eu vivo jurando pra mim mesmo que vou parar de comer essa droga, mas não consigo... Tchau pra vocês.

E desceu pros lados do cemitério.

Nós três descemos pelo outro lado, calados, cada um pensando no que tinha ouvido.

TRÊS TERRORES

Drácula, Bram Stoker
O médico e o monstro, Robert Louis Stevenson
O morto-vivo da colina verde, Leo Cunha

SUPLEMENTO DE LEITURA

Atual Editora

Três histórias apavorantes! Dois clássicos de terror adaptados e uma narrativa inédita convidam o leitor a entrar no clima de tensão e medo. Todo o horror do imortal vampiro, que se alimenta do sangue de suas vítimas, pode ser sentido em *Drácula*. O mistério que envolve a estranha relação entre o dr. Jekyll e o repulsivo sr. Hyde, ao ser desvendado, revela a extraordinária e sombria divisão do ser humano em bem e mal, temática central de *O médico e o monstro*. Já em *O morto-vivo da colina verde*, o terror alia-se ao humor na emocionante história do trio de adolescentes que investiga o caso do morto-vivo Zequinha, o grande amor de uma feiticeira.

POR DENTRO DOS TEXTOS

Enredos

1 Tanto em *O médico e o monstro* quanto em *O morto-vivo da colina verde* há um mistério a ser desvendado.

a) Que mistério intriga Utterson e, consequentemente, o leitor?

____

b) Que mistério intriga Flora, Leo e Paulo?

c) Nas duas narrativas, uma poção está relacionada ao mistério. Explique a função da poção em cada uma delas.

2 Paralelamente à investigação realizada pelos adolescentes, O *morto-vivo da colina verde* apresenta duas histórias de amor.

a) Explique os significados dos nomes dados à mesma poção mágica:

- Poção de Afugentar a Morte:

- Poção de Afugentar o Amor:

b) Leo declara não querer que nada deste mundo, nem de outro, destrua seu amor por Flora, e afirma também que a infeliz história de amor de Zequinha e dona Ênia não se repetiria. Isso, de fato, aconteceu? Justifique sua resposta.

3 Nos dois capítulos iniciais de *Drácula*, há indícios de que Harker está caminhando para um destino bastante perigoso e de que seu cliente é um vampiro.

a) Complete o quadro, apontando tais indícios:

8 Em O *médico e o monstro*, as personagens demonstram certa dificuldade em descrever Hyde. Porém, há um ponto em comum nas descrições apresentadas. Qual é?

____

9 Hyde é mais jovem, mais ágil e menor que Jekyll. Além disso, apresenta uma deformidade. Que explicação é dada na história para tal diferenciação física entre Jekyll e Hyde?

____

____

____

10 Como Zequinha é caracterizado em O *morto-vivo da colina verde*?

____

11 Dona Ênia, a bruxa, não correspondeu totalmente às expectativas de Leo.

a) Como, geralmente, são caracterizadas as bruxas em histórias de terror?

____

b) Como dona Ênia é caracterizada?

____

____

____

12 Além de seres misteriosos, monstruosos e/ou sobrenaturais, histórias de terror também podem contar com personagens que exercem diferentes papéis, de acordo com a trama desenvolvida. Complete o quadro, classificando as seguintes personagens de acordo com o papel em que cada uma se destaca nas respectivas narrativas:

Mina Leo Utterson
Lucy Van Helsing Flora
Carew Jonathan Paulo

Vítima	Detetive/pesquisador/observador dos fenômenos ou mistérios ali envolvidos

13 Leo, referindo-se a Paulo e a si mesmo, afirma: "[...] mais parecíamos dois elementares Watsons, seguindo os passos e o charme da nossa Sherlock Holmes" (p. 98). Converse com seus colegas sobre quem são Sherlock Holmes e Watson e explique a comparação feita por Leo.

14 Um dos traços de humor da narrativa está presente nos momentos em que Paulo explica algo aos colegas, baseado em informações dadas por sua mãe, que é repetidas vezes apresentada ao leitor pelo narrador.

a) Como a mãe de Paulo é caracterizada por Leo, o narrador?

b) Cada diferente característica atribuída à mãe de Paulo tem relação direta com a situação narrada naquele momento. Explique a relação existente entre as seguintes características e a situação em que cada uma delas é atribuída à mãe de Paulo:

Trabalhava na prefeitura (p. 96)	
Imigrante da Transilvânia (p. 98)	
Dona de uma floricultura (p. 100)	
Bibliotecária (p. 105)	

c) Em sua opinião, por que o narrador Leo apresenta a mãe de Paulo tantas vezes e com diferentes caracterizações?

PRODUÇÃO DE TEXTOS

15 Dona Ênia explica aos garotos que os manuais de bruxaria são livros de receitas que alimentam a alma e o coração e que curam doenças também. Em grupo, elabore um manual de feitiços com pelo menos cinco receitas. A seguir, sugerimos alguns passos para facilitar seu trabalho:

- Decida a finalidade das receitas que vão compor o manual. Por exemplo: receita/feitiço para conquistar a pessoa amada; para abrandar um adulto bravo, etc.
- Observe uma receita de comida (em livro de receitas, embalagens de produtos alimentícios, etc.) e veja como ela é organizada/escrita.
- Imagine e anote os ingredientes necessários para cada uma das receitas/feitiços de seu manual. Os ingredientes não precisam existir de verdade.
- Imagine o modo de preparo do feitiço. Além da forma de misturar os ingredientes, você pode pensar em palavras mágicas que devem ser ditas.
- Após escrever e revisar cada receita, monte seu manual. Escreva um texto de apresentação e crie uma capa bem interessante para ele.

16 Jonathan Harker entrega a Mina o caderno onde relatou suas experiências na Transilvânia. Imagine como o rapaz escapou do castelo do Drácula e relate a fuga dele em forma de diário. Lembre-se de que o diário é de Harker. Portanto, além de escrito em primeira pessoa, a solução de fuga encontrada deve ser coerente com o restante da narrativa.

17 Crie a sua história de terror. Antes de começar a escrever, decida se a intencionalidade de seu texto será apenas suscitar apreensão e medo no leitor ou se haverá também traços de humor. Imagine qual será a trama, quem serão as personagens, como serão os espaços, quem será o narrador da história, em que época a história se passará, que tipo de linguagem será utilizada, tentando inter-relacionar todos os elementos. Pense em como a história poderá ser organizada "no papel". Lembre-se de alguns dos recursos que geralmente são empregados para se construir uma atmosfera de terror. Após redigir o texto, peça a algum colega que o leia e que lhe dê sugestões de melhorias. Quando a história estiver revisada e pronta, ela poderá fazer parte de um livro de narrativas de terror a ser "publicado" por sua classe.

ATIVIDADES COMPLEMENTARES

(Sugestões para História, Geografia e Ética)

18 A personagem Drácula, de Bram Stoker, foi inspirada em lendas de vampiros e em um nobre cruel, Vlad Tepes, que viveu no século XV, onde hoje é a Romênia.

a) Em grupo, faça uma pesquisa sobre um dos seguintes temas:

- Bram Stoker: traços biográficos do autor, leituras, pesquisas e viagens realizadas que contribuíram para a produção de *Drácula*.
- Vlad Tepes: traços biográficos, castelo de Bran.
- Romênia: localização na Europa, história, economia, cultura.
- Região da Transilvânia: localização mais específica, características de sua geografia física; folclore, histórias de vampiros.

A pesquisa pode ser realizada em livros ou na internet. Sugere-se uma consulta ao *site* da Embaixada da Romênia (http://brasilia.mae.ro/pt), onde podem ser encontradas informações gerais sobre o país.

b) As informações coletadas na pesquisa poderão ser socializadas por meio de uma apresentação oral para toda a classe. Para isso, é preciso que cada grupo faça um esquema de organização dos tópicos a ser socializados. Recursos visuais, tais como cartazes ou *slides* de Power Point, mapas, fotos, ilustrações, etc. podem enriquecer o trabalho.

19 Assista ao documentário *Grandes Castelos da Europa*, capítulo "O Castelo do Drácula", da Discovery Channel (disponível em DVD). Em sala de aula, converse com seus colegas sobre as semelhanças e diferenças percebidas entre o documentário e a adaptação de *Drácula* em *Três terrores*.

20 Organize uma discussão com seus colegas de classe sobre as temáticas das narrativas de *Três terrores*:

- Imortalidade: prós e contras.
- O bem e o mal: existe mesmo tal dualidade?

Não sei o que passava pela cabeça da Flora, mas eu só conseguia pensar numa coisa: em como a Poção de Afugentar a Morte tinha se transformado em Poção de Afugentar o Amor. Um passe de mágica tinha matado o amor eterno do Zequinha e dona Ênia. Ah, não, eu não queria que nada desse mundo nem de outro destruísse o meu amor pela Flora. Se dependesse de mim, aquela história de amor com final infeliz não iria se repetir nunca mais!

Quando cheguei em casa, jurei pro espelho:

— Amanhã eu ligo pra ela e declaro o meu amor eterno.

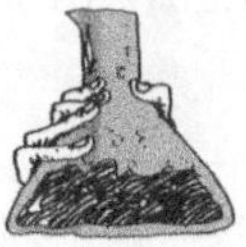

11 PARA SEMPRE

MAS NÃO. EU JÁ estava cansado de deixar tudo pra amanhã. Tinha que ser naquela hora. Peguei o telefone e comecei a discar o número da Flora. Parei no meio. Onde já se viu declaração de amor por telefone?

Então saí correndo abestalhado pela rua. Sabia que, como sempre, eu ia acabar na casa da Flora, a menina mais linda da mundo, que eu queria tanto namorar. Não sei se já falei, mas, naquela época, tudo era motivo pra eu ir parar na porta dela.

Só que, quando cheguei à esquina, com o coração saindo pela boca, sabe quem estava no portão? A Flora e o Paulo, com a maior cara de cúmplices. Será que era tarde demais?

O Paulo veio até mim:

— Eu preciso te falar uma coisa.

Não, eu não queria ouvir, eu não queria!

— É sobre você e a Flora?

Ele balançou a cabeça, sorrindo.

— A Flora é a menina dos sonhos de qualquer garoto. Você sabe disso melhor do que ninguém. Quem nessa cidade não quer namorá-la?

— Eu sei, mas você mal chegou por aqui e já quer...

— Deixa eu terminar... Sabe o que é, Leo? Reparo em tudo o que a Flora fala e faz. E já percebi uma coisa...

— O quê?

— É de você que ela gosta.

— Ãhn?

— Isso mesmo. Pode ter certeza. Ela só está esperando você tomar a iniciativa. Boa sorte!

E foi embora, deixando a Flora só pra mim.

Não falei? Desde a primeira vez que eu vi o Paulo, eu sabia que, mais cedo ou mais tarde, ele ia me aprontar alguma!

A Flora veio chegando devagar.

— Eu queria te agradecer.

— Não precisa, Flora.

— Preciso, sim. Eu sei que você não é muito fã de perigos e mistérios. Mas aguentou firme, do meu lado, o tempo todo.

— Que é isso, Flora? Não foi nada...

— Eu sei que às vezes, quando cismo com alguma coisa, sou mandona, ranzinza, uma chata!

Era a minha grande chance. Se alguma vez eu tinha precisado de coragem nessa história, não era nada perto daquele instante. Respirei fundo, contei até três... e falei:

— Às vezes você é meio chata mesmo. Mas é a chata mais linda do mundo... Quer namorar comigo?

Ela riu aquele riso dela e me olhou com aqueles olhos de mel. Pensa que ela ficou vermelha, corada, encabulada? Já vi que você não conhece mesmo a Flora.

— Ai, Leo, como você demorou pra assumir essa paixão, hem? Achei que ia precisar de alguma poção da dona Ênia...

E me estalou um beijo na boca.

Foi assim que aconteceu.

Ou, pelo menos, é assim que eu lembro. Afinal, tudo se passou há muito, muito tempo. Bem mais de uns cem anos...